دُرُوسُ اللُّغَةِ العَرَبِيَّةِ

ARABIC COURSE

for English-Speaking Students

1

DR V. ABDUR RAHIM

UK ISLAMIC ACADEMY

Enlarged edition
ISBN 978 1 872531 51 9
ISBN 978 1 872531 68 7 (Set of 3 books)

Author: Dr V. Abdur-Rahim

Published by

UK Islamic Academy
147 Mere Road
Leicestershire
LE5 5GQ
United Kingdom

Website: ukiabooks.com
E-mail: info@ukiabooks.com

British Library Cataloguing in Publication Data
A catalogue record for this book is available from the British Library.

Cover design: Imtiaze A. Manjra

Printed and bound in Turkey: Imak Ofset

بسم الله الرحمن الرحيم

Introduction

THE ARABIC COURSE of MADĪNAH ISLAMIC UNIVERSITY for English-Speaking Students, is a comprehensive and popular course for the teaching of Arabic, the language of the Qur'ān and the *Sunnah*. The course, which consists of three books, was originally designed by Madīnah Islamic University to cater for the needs of thousands of foreign students from all over the world who studied there in order to acquire a knowledge of Islam. Over the years, this course enabled students to become competent in their use of the Arabic language and thus enabled them to participate and benefit from scholarly pursuits such as Qur'ānic exegesis, *ḥadīth*, *fiqh*, *sīrah*, Islamic history, and both modern and classical Arabic literature.

The author of the course, Dr V. Abdur-Rahim, obtained his doctorate in the Arabic language from the renowned Al-Azhar University. He has been teaching Arabic for more than four decades and was, for a long time, a principal lecturer of Arabic to foreign students at Madīnah Islamic University. In his own studies Dr Abdur-Rahim combined the modern way of learning with the classical system, and he has applied the same style in this course.

There are now several courses available for teaching of the Arabic language, but the unique features of this particular course are:

- It is very concise, consisting of only three books, which are reasonably short but extensive in their coverage
- It combines modern Arabic vocabulary with Islamic terminology as used in the Qur'ān and the *Sunnah*
- It covers the necessary Arabic grammatical rules in such a way that the student is spared the monotonous task of memorising them, that being the norm in any orthodox teaching of the language
- The author presents Arabic as a living and vibrant language and takes examples from Arabic in everyday use, as also from the Qur'ān

and the *Sunnah*, so that as the student learns the language, he also acquires an understanding of hundreds of Qur'ānic verses, *aḥādīth*, Arabic parables and poetry. In this way, ethical teachings are infused into the whole, and the student becomes directly involved in the study of the Qu'rān and the *Sunnah* while simultaneously acquiring a sound understanding of the Arabic language.

I have personally used the course in teaching my own children and other students for several years. Among the many courses which I have experimented with, I have found this to be ideal in terms of the time it takes to learn as also of the topics covered. It is suitable for use in both *madrasahs* and Islamic schools in the UK and other Western countries.

Since the course was designed and initially taught in an Arabic environment where students were exposed to the spoken language, I felt that there was a need for a key book or explanatory guide for students studying in a non-Arab environment, especially for those self studying or for those who do not have an able teacher to guide them through the course.

I am very grateful, therefore, to my friend Dr V. Abdur-Rahim who kindly agreed to spare some of his precious time to prepare the vocabulary and guide books in English to accompany the Arabic textbooks. I am also honoured and thankful to him for granting us permission to publish these books in the United Kingdom to meet the ever-growing need to learn the Arabic language in the West.

May Allah accept this effort from an author who has already taught Arabic to thousands of students who joined his classes in Madīnah Munawwarah and his new students who will now, *inshā'allāh*, benefit indirectly through his course. May Allah grant him long life and good health to serve His *dīn*. May Allah also accept our efforts in trying to prepare a comprehensive Islamic and Arabic course for people living in the West. From His gracious favour all good deeds come into existence.

Rabī al-Awwal, 1423 AH.   **Iqbal Ahmad Azami**

(١) الدَّرْسُ الأَوَّلُ

هٰـذا

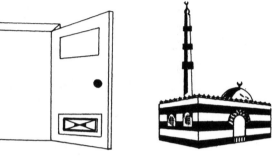

هٰذا بَيْتٌ .   هٰذا مَسْجِدٌ .   هٰذا بَابٌ .

هٰذا كِتَابٌ  .   هٰذا قَلَمٌ .   هٰذا مِفْتَاحٌ .

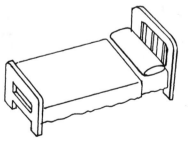

هٰذا مَكْتَبٌ .   هٰذا سَرِيرٌ .   هٰذا كُرْسِيٌّ .

ما هـٰـــــذا ؟

ما هـٰـذا ؟

هـٰـذا بَيْـتٌ .

أَهـٰـذا بَيْـتٌ ؟

نَعَـمْ ، هـٰـذا بَيْـتٌ .

ما هـٰـذا ؟

هـٰـذا قَمِيْـصٌ .

أهـٰـذا سَـرِيْرٌ ؟

لَا ، هـٰـذا كُرْسِـيٌّ .

أَهـٰـذا مِفْتَـاحٌ ؟

لا ، هـٰـذا قَلَـمٌ .

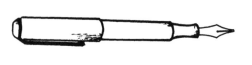

ما هـٰـذا ؟

هـٰـذا نَجْـمٌ .

تمـــــرين (١)

ما هٰـذا ؟

ما هٰـذا ؟

ما هٰـذا ؟

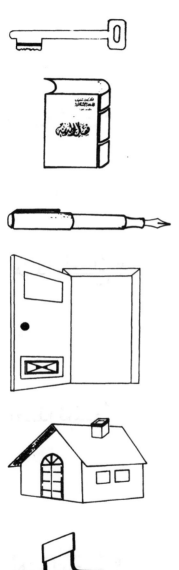

ما هٰـذا ؟

ما هٰـذا ؟

ما هٰـذا ؟

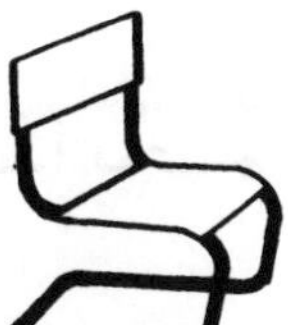

تمــــرين (٢)

أهـٰـذا بَيْــتٌ ؟

أهـٰـذا مِفْتَــاحٌ ؟

أهـٰـذا قَمِيْــصٌ ؟

أهـٰـذا نَجْــمٌ ؟

تمــــرين (٣)

اِقْـرَأْ وَاكْتُـبْ :

هٰـذا مكتب .   هٰـذا مسجـد .   هٰـذا قلـم .

هٰـذا سـرير.   مـا هٰــذا ؟   هــذا كرســيّ .

أهــذا بيــت ؟   لا ، هذامسجـد .   ما هذا؟ هذا مفتاح .

مَــنْ هٰـــذا ؟

مَــنْ هٰـذا ؟
هٰـذا طَـبِيْبٌ .

مَــنْ هٰـذا ؟
هٰـذا وَلَـدٌ .

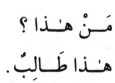

مَــنْ هٰـذا ؟
هٰـذا طَـالِبٌ .

أَهٰـذا وَلَـدٌ ؟
لا ، هٰـذا رَجُـلٌ .

مَا هٰذا ؟ هٰذا مَسْجِدٌ .

مَنْ هٰذا ؟ هٰذا تَاجِرٌ .

هٰذا كَلْبٌ .

أَهٰذا كَلْبٌ ؟

لا ، هٰذا قِطٌّ .

هٰذا حِمَارٌ .

أَهٰذا حِمَارٌ ؟

لا ، هٰذا حِصَانٌ .

وَمَا هٰذا ؟

هٰذا جَمَلٌ .

مَـا هٰـذا ؟

هٰـذا دِيْـكٌ .

مَـنْ هٰـذا ؟

هٰـذا مُـدَرِّسٌ .

أَهٰـذا قَمِيْصٌ ؟

لا ، هٰـذا مِنْـدِيْلٌ .

تمـــرين

اِقْـرَأْ وَاكْتُـبْ :

(١) ما هذا؟ هذا قلم . (٢) هـذا كلـب .

(٣) من هذا؟ هذا طبيب . (٤) هـذا جمـل .

(٥) أهذا كلب؟ لا ، هذا قط . (٦) أهذا ديك؟ نعم .

(٧) أهذا حصان؟ لا ، هذا حمار. (٨) هـذا منـديل .

(٩) أهذا ولد؟ نعم . (١٠) من هذا؟ هذا رجل .

(٢) الدرس الثاني

ذالِـــكَ

ما ذلكَ ؟

ذلِكَ نَجْمٌ .

هذا مَسْجِدٌ

وذلك بيتٌ .

هذا حِصَانٌ وذلك حِمارٌ .

أذلك كَلْبٌ ؟ لا ، ذلك قِطٌّ .

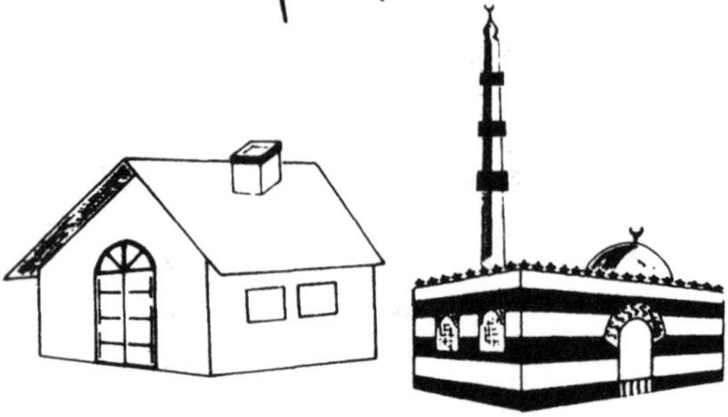

ما ذلك ؟

ذلك سَرِيرٌ .

مَنْ هذا ومَنْ ذلك ؟

هذا مُدرِّسٌ وذلك إمَامٌ .

مـا ذلـك ؟

ذلك حَجَرٌ.

هذا سُكَّرٌ وذلك لَبَنٌ .

تمرين

اِقْرأْ واكْتُبْ :

(١) هذا سكر وذلك لبن .　　(٢) من ذلك؟ ذلك إمام .

(٣) أذلك قط؟ لا ، ذلك كلب .　　(٤) ما هذا؟ هذا حجر .

الكَلِمَاتُ الجَدِيْدَةُ :
إِمَامٌ　　حَجَرٌ　　سُكَّرٌ　　لَبَنٌ

(٣) الدرسُ الثالثُ

بيتٌ : اَلْبَيْتُ
كِتَابٌ : اَلْكِتَابُ

قلمٌ : اَلْقَلَمُ
جَمَلٌ : اَلْجَمَلُ

اَلْقَلَمُ مَكْسُوْرٌ.

اَلْبَابُ مَفْتُوْحٌ.

اَلْوَلَدُ جَالِسٌ ، وَالْمُدَرِّسُ وَاقِفٌ.

(١) الكتابُ جَدِيْدٌ وَالْقَلَمُ قَدِيْمٌ.
(٢) اَلحِمارُ صغِيْرٌ وَالْحِصَانُ كَبِيْرٌ.

(٣) الكرسِيُّ مَكْسُوْرٌ.
(٤) المِنْدِيْلُ وَسِخٌ.

(٥) المَاءُ بَارِدٌ.
(٦) القَمَرُ جَمِيْلٌ.

(٧) البَيْتُ قَرِيْبٌ والمَسْجِدُ بَعِيْدٌ.
(٨) الحَجَرُ ثَقِيْلٌ والوَرَقُ خفِيفٌ

(٩) اللبَنُ حَارٌّ.
(١٠) القَمِيْصُ نَظِيْفٌ.

تمـــارين

(١) اِقْـــرَأْ وَاكْتُبْ مَعَ ضَبْطِ أَوَاخِرِ الكَلِمَاتِ :

مَسْجِد. المسجد. المـاء. ماء. البَيْت. باب. قَلَم. القلم. الكَلْب. كلب. قَمِيص. وَلَـد. الحَجَر. الولد. حِمار. الحمار. الحِصان. حصان.

(٢) اِقْـــرَأْ واكْتُـــبْ :

(١) المكتب مكسور.	(٢) المدرس جديد.
(٣) القميص وسخ.	(٤) اللبن بارد.
(٥) المسجد مفتوح.	(٦) الحجر كبير.
(٧) اللبن بارد والماء حار.	(٨) الإِمَامُ جالس والمدرس واقف.
(٩) القمر بعيد.	(١٠) المنديل نظيف.

(٣) اِمْلأ الفراغ فيما يلي بوضع الكلمة المناسبة من الكلمات التالية :

جَمِيْلٌ. وَسِـخٌ. مَفْـتُـوْحٌ. حَارٌّ. ثَقِـيْلٌ. خَفِـيْفٌ.

(١) الحجر	(٢) الباب ....
(٣) القمر	(٤) الورق ....
(٥) المنديل	(٦) اللـبن ....

(٤) اِمْلأ الفراغ فيما يلي بوضع كلمة مناسبة :

(١) .... نظيف .　　(٢) .... مكسور.

(٣) .... بارد .　　(٤) .... قريب .

(٥) .... بعيد .　　(٦) .... واقف .

(٧) .... جالس .　　(٨) .... كبير.

(٩) .... قديم .　　(١٠) .... جديد .

الكلمات الجديدة :

القَمَرُ	جَدِيدٌ	قَدِيمٌ	وَسِخٌ
نَظِيفٌ	حَارٌّ	بَارِدٌ	صَغِيرٌ
كَبِيرٌ	مَفْتُوحٌ	مَكْسُورٌ	ثَقِيلٌ
خَفِيفٌ	جَمِيلٌ	وَاقِفٌ	جَالِسٌ

نَجْمٌ : اَلنَّجْمُ　　رَجُلٌ : اَلرَّجُلُ

دِيكٌ : الدِّيْكَ　　طَالِبٌ : اَلطَّالِبُ

(١) النَّجْمُ بَعِيْدٌ . (٢) الرَّجُلُ وَاقِفٌ .

(٣) السُّكَّرُ حُلْوٌ. (٤) الطَّالِبُ مَرِيْضٌ .

(٥) الدِّيْكُ جَمِيْلٌ . (٦) الدَّفْتَرُ جَدِيْدٌ .

(٧) التَّاجِرُ غَنِيٌّ . (٨) الدُّكَّانُ مَفْتُوْحٌ .

(٩) الوَلَدُ فَقِيْرٌ. (١٠) التُّفَّاحُ لَذِيْذٌ .

(١١) الطَّبِيْبُ طَوِيْلٌ وَالمرِيضُ قَصِيْرٌ.

تمارين

(١) اِقْرأْ وَاكْتُبْ مَعَ ضَبْطِ أَواخِرِ الكَلِماتِ :

الباب. التاجر. النجْم. القَمَر. الديك. الماء.
السرير. البيت. المسجد. الرجُل. السكَّر. الورَق.

(٢) اِمْلَأ الفراغ فيما يلي بوضع كلمةٍ مناسبةٍ :

(١) .... غني . (٢) .... حلو.

(٣) .... مريض . (٤) .... لذيذ .

(٥) .... طويل . (٦) .... قصير.

(٣) اِخْتَرْ كلمةً من القائِمَةِ (ب) تناسب الكلمة التي في القَائِمَةِ (أ) :

(أ)	(ب)
الطَّالبُ	لَذيذٌ
الدُّكَّانُ	مَكْسُورٌ
التُّفَّاحُ	ثَقِيلٌ
المَاءُ	مَفْتُوحٌ
الحَجَرُ	مَرِيضٌ
القَلَمُ	حَارٌّ

الكلمات الجديدة :

حُلْوٌ	مَرِيْضٌ	الدُّكَّانُ	غَنِيٌّ
طَوِيْلٌ	فَقِيْرٌ	قَصِيْرٌ	التُّفَّاحُ

اَلْحُرُوْفُ الْقَمَرِيَّةُ وَاَلْحُرُوْفُ الشَّمْسِيَّةُ

اَلْحُرُوْفُ الْقَمَرِيَّةُ	اَلْحُرُوْفُ الشَّمْسِيَّةُ
(١) أ : اَلأَبُ	(١) ت : اَلتَّاجِرُ
(٢) ب : اَلْبَابُ	(٢) ث : اَلثَّوبُ
(٣) ج : اَلْجَنَّةُ	(٣) د : اَلدِّيْكُ
(٤) ح : اَلْحِمَارُ	(٤) ذ : اَلذَّهَبُ
(٥) خ : اَلْخُبْزُ	(٥) ر : اَلرَّجُلُ
(٦) ع : اَلْعَيْنُ	(٦) ز : اَلزَّهْرَةُ
(٧) غ : اَلْغَدَاءُ	(٧) س : اَلسَّمَكُ
(٨) ف : اَلْفَمُ	(٨) ش : اَلشَّمْسُ
(٩) ق : اَلْقَمَرُ	(٩) ص : اَلصَّدْرُ
(١٠) ك : اَلْكَلْبُ	(١٠) ض : اَلضَّيْفُ
(١١) م : المَاءُ	(١١) ط : اَلطَّالِبُ
(١٢) و : اَلْوَلَدُ	(١٢) ظ : اَلظَّهْرُ
(١٣) هـ : اَلْهَوَاءُ	(١٣) ل : اَللَّحْمُ
(١٤) ى : اَلْيَدُ	(١٤) ن : اَلنَّجْمُ

تمـــــرين

اِقْرأ الكلمات الآتية واكتبها مراعياً قواعد نطق الحروف القمرية والشمسية :

البيت . الديك . المدرِّس . الباب . الطالب . السكر . الدفتر.
الأَخ . الرَسُول . الوَجْه . الصَديْق . القُرآن . الصَلاة . الكَعْبة .
الرَأْس . الإِصْبَع . الصَابُون الظُفْر . الفَجْر . الظُهْر . العَصْـــر .
المَغْــرِب العِشـــاء .

(٤) اَلدَّرْسُ الرَّابِعُ

(أ)

البيتُ : في البيتِ	المسجدُ : في المسجدِ
المكتبُ : عَلَى المكتبِ	السريرُ : عَلَى السريرِ

(ب)

أَيْنَ مُحَمَّدٌ ؟	هُوَ في الغُرْفَةِ .
وأَيْنَ يَاسِرٌ ؟	هُوَ في الْحَمَّامِ .
وأَيْنَ آمِنَةُ ؟	هِيَ في الْمَطْبَخِ .
أَيْنَ الكتابُ ؟	هُوَ عَلَى المكتبِ .
وأَيْنَ الساعةُ ؟	هِيَ عَلَى السريرِ .

الْمَطْبَخُ

تَمَـارِيْنُ

(١) أجِبْ عن الأَسْئِلَةِ الآتِيَةِ :

(١) أين الكتاب ؟ ....

(٢) أين محمـد ؟ ....

(٣) أين الساعـــة ؟ ....

(٤) أين ياســـر ؟ ....

(٥) أين آمنـــة ؟ ....

(٦) أآمنـــةُ في الغرفة ؟ ....

(٧) أياســـر في المطبخ ؟ ....

(٨) من في الغرفـــة ؟ ....

(٩) ومن في الحمّـــام ؟ ....

(١٠) ماذا على المكتب ؟ ....

(١١) ماذا على السرير ؟ ....

(٢) اِقرأْ واكتبْ مع ضبط أواخر الكلماتِ :

المدرسة، في المَدْرَسَة، في البيت، البيت، الغرفة، الحمام، في المطبخ، المكتب، على المكتب، على الكرسي، السرير، على الكتاب، في المسجد.

اِقــرأْ واكتبْ :

(١) الطالب في الجامعة. (٢) الرجل في المسجد.

(٣) أين التاجر؟ هو في الدكان. (٤) القلم على المكتب.

(٥) أين زينبُ؟ هي في الغرفة. (٦) أين الورق؟ هو على المكتب.

(٧) أين المدرس؟ هو في الفَصْل. (٨) أين ياسر؟ هو في المِرْحَاض.
(٩) الشمس والقمر في السَّمَاء. (١٠) من في الفصل ؟

(أ)

محمـــدٌ	آمِنَـــةُ
خالـــدٌ	زَيْنَـــبُ
حامِـــدٌ	فاطِمَـــةُ
ياسِـــرٌ	مَـــرْيَمُ
عَمَّـــارٌ	عَائِشَـــةُ
سَعِيْـــدٌ	خَدِيْجَـــةُ
عَلِـــيٌّ	صَفِيَّـــةُ
عَبَّـــاسٌ	رُقَيَّـــةُ

اقرأ واكتب مع ضبط أواخر الكلمات :

حامد، زينب، آمنة، عمّار، سعيد، فاطمة مريم، عليّ، خالد، عباس، عائشة، محمد، صَفِيّـــة، خديجـــة.

(ب)

البيـتُ : مِنَ البيتِ   المسجدُ : إلَى المسجدِ

الْيَابَانُ

المدرس : مِنْ أَيْنَ أَنْتَ ؟

محمـد : أنا مِنَ اليَابَانِ .

المدرس : ومِنْ أَيْنَ عَمَّارٌ ؟

محمـد : هُوَ مِنَ الصِّينْ .

الْهِنْدُ

المدرس : ومِنْ أَيْنَ حَامِدٌ ؟

محمـد : هُوَ مِنَ الْهِنْدِ .

المدرس : أَيْنَ عَبَّاسٌ ؟

محمـد : خَـرَجَ .

المدرس : أَيْنَ ذَهَبَ ؟

محمـد : ذَهَبَ إلَى الْمُدِيرِ .

المدرس : وأَيْنَ ذَهَبَ عَلِيٌّ ؟

محمـد : ذَهَبَ إلَى الْمِرْحَاضِ .

الْمِرْحَاضُ

تَمَارِيْنُ

أَجِبْ عَنِ الأَسْئِلَةِ الآتِيَـةِ :

(١) من أين أنت ؟

(٢) أأنت من الفِلِبِّيْن ؟

(٣) مَنْ مِنَ الصّين ؟

(٤) من أين حامد ؟

(٥) أين ذهب عباس ؟

(٦) أذهب عليّ إلى المدير ؟

(٢) اقرأ واكتب مع ضبط أواخر الكلمات :

الغرفة، من الغرفة، من الحمام، المرحاض، إلى المرحاض، اليابان، الفلبين، من الهند، إلى الصين .

(٣) اقــرأ واكتــب :

(١) من أين فاطمة؟ هي من الهند .

(٢) خرج المدرس من الفصل وذهب إلى المدير

(٣) ذهب التاجر إلى الدكان .

(٤) خرج حامد من الغرفة وذهب إلى الحمام .

(٥) من خرج من الفصل؟ .

(٦) خرج الطالب من المدرسة وذهب إلى السُّوْقِ .

(٧) خديجة من الصين وخالد من اليابان .

(٤) ضع في الفراغ فيما يلي حرفَ جرٍّ مناسباً :

(من - إلى - فى - على)

(١) الكتاب .... المكتب . (٢) الطالب .... الفصل .

(٣) ذهب حامد .... الجامعة . (٤) خرج المدير .... المدرسة .

(٥) ذهب محمد .... الصين .... اليابان .

الكلمات الجديدة :

اَلْمَدْرَسَةُ	اَلْفَصْلُ	اَلْحَمّامُ	اَلْمِرْحَاضُ
اَلْمَطْبَخُ	اَلْغُرْفَةُ	اَلْجَامِعَةُ	السُّوْقُ
اليَابَانُ	الصِّيْنُ	الهِنْدُ	الفِلِبِّيْنُ
المُدِيْرُ	ذَهَبَ	خَرَجَ	

«فِـــىْ. عَلَـــى. مِـــنْ. إِلَـــى»
مِنْ حُرُوْفِ الْجَــــرِّ

(٥) الدرس الخامس

سَعِيْدٌ : أكتابُ محمدٍ هذا ياياَسِرُ ؟

ياسِـرٌ: لا ، هذا كتابُ حامدٍ.

سعيد : أين كتابُ محمدٍ ؟

ياســر : هو على المكتبِ هُناكَ.

سعيد : أين دَفْتَرُ عَمَّـــارٍ ؟

ياســر : هو على مكتبِ المدرسِ .

سعيد : قَلمُ مَنْ هذا ياعليُّ ؟

عَلِـيٌ : هذا قلمُ المدرسِ .

سعيد : أين حَقِيْبَةُ المدرسِ ؟

علـيّ : هي تَحْتَ المكتبِ.

تَمَـــارِيْنُ

(١) أجب عن الأسئلة الآتيـــة :

(١) أين كتاب محمـــد ؟

(٢) أين كتاب عمّـــار ؟

(٣) أين حقيبة المـــدرس ؟

(٢) **أضف الكلمة الأولى إلى الثانية :**

كتابٌ ، محمدٌ : كتابُ محمدٍ	مكتبٌ، المدرسُ: مكتبُ المدرسِ
قلمٌ، حامدٌ	مفتاحٌ ، البيتُ ....
بيتٌ، عبّاسٌ	دكّانٌ ، التاجرُ ....
غُرفةٌ ، عليٌّ	بيتٌ ، المهندسُ ....
دفترٌ، سعيدٌ	اِسْمٌ، الولدُ ....
منديلٌ ، ياسرٌ	كتابٌ ، الله ....
قميصٌ ، عمّارٌ	بِنْتٌ، الطبيبُ ....
سريرٌ، خالدٌ	مفتاحٌ، السَيَّارَةُ ....

(٣) **اقرأ واكتب مع ضبط أواخر الكلمات .**

باب المدرسة ، حمار الرجل ، بيت حامد ، سيارة المدير منديل عمّار، اسم الطالب، بيت الله ، في كتاب الله ، من بيت المدرس ، على مكتب المدير.

(٤) **اقرأ :**

(١) أين بيت المدرس؟ هو بَعِيدٌ .

(٢) القُرآن كتاب الله .

(٣) الكعبة بيت الله .

(٤) محمدٌ صلى الله عليه وسلم رسُوْل الله .

(٥) خرج المدرس من غرفة المدير.

(٦) هذا بيت حامد وذلك بيت خالد .

(٧) ٱبْنُ عمّار طالب وٱبْنُ ياسر تاجر.

(٨) بيت المدرس بَعِيدٌ وبيت التاجر قَرِيبٌ .

(٩) هذا مفتاح السيارة. أين مفتاح البيت؟

(١٠) من أنت ياولد؟ أنا ٱبن عباس .

(١١) وٱبْنُ مَنْ هو؟ هو ٱبْن خالد .

(١٢) أين مسجـد رسول الله صلَّى اللَّهُ عَلَيْهِ وسَلَّمَ؟ هو في المَدِيْنَة المُنَوَّرةِ .

(١٣) بنت حامد في المدرسة وبنت محمد في الجامعة .

(١٤) إسم المدرس سعيد وٱسم المهندس خالدٌ .

(١٥) عَمّ الطالب غَنِيٌّ .

(١٦) باب المسجد مفتوحٌ وباب المدرسة مُغْلَقٌ .

(١٧) خال حامد فَقِيرٌ.

(١٨) سيارة عبّاس في الشَّارِع .

(١٩) اَبْنُ مَنْ أنتَ؟ أنا اَبنُ المدرس .

(٢٠) أَين الكلب؟ هو تحت السيارة .

(٥) كون جملاً مفيدة بملء الفراغ فيما يلي :

(١) .... البيتِ مُغْلَقٌ .

(٢) أين .... السيّارةِ؟ .

(٣) محمدٌ ﷺ رسول ....

(٤) .... الطبيبِ بعيدٌ .

(٥) القرآن كتاب ....

(٦) خديجةُ .... حامدٍ .

(٧) أنا .... المدرسِ .

(٨) .... الطالبِ مكسورٌ.

(٩) باب .... مفتوح .

(١٠) خرج المدرسُ من .... المدير.

(٦) صَحِّحْ التركيبات التالية :

القلم الطالبِ ....

بابُ السيارةُ ....

بنتُ حامدٌ ....

الرسولُ الله ....

اِسْمُ الولدَ ....

اِبْنُ المدرسِ ....

(٧) محمـدٌ : يامحمـدُ

أُسْتاذٌ : ياأُسْتَاذُ

خالـدٌ : ياخالـدُ

ولـدٌ : ياولـدُ

اقرأ واكتب مع ضبط أواخر الكلمات :

ياعـليّ. ياعـبّـاس. شـيخ. يـاشيخ. يارجـل. يـاسـر. يا عمّـار. دُكْتُور. يادُكْتُـور.

(٨) اِقرأْ المثال الآتي ثم كَوِّنْ أَسْئِلَةً مِثْلَهُ مُشِيراً إلى الصور التالية :

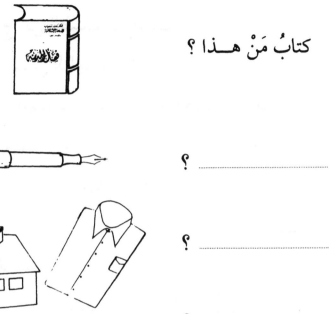

كتابُ مَنْ هــذا ؟

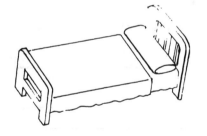

.... ؟

.... ؟

.... ؟

.... ؟

(٩) اِسمٌ : اِسْمُ الولد محمدٌ وٱسْمُ البنت زينب .

اِسْمُ المدرس حامد . ماٱسْمُ المدير ؟

اِبْنٌ : اِبْنُ خالد في المدرسة وٱبْنُ حامد في الجامعة .

اِبْنُ المدرس في الفصل . أينَ ٱبْنُ المدير؟

اقرأ ما يلي مراعياً قواعد نطق همزة الوصل :

(١) ابنِ محمد في العراق وابن حامد في الهند .

(٢) خرج ابن الطبيب من البيت .

(٣) ذهب ابن التاجر إلى السوق .

(٤) اسم المُهَنْدِسِ فَيْصَلٌ واسم الطبيب مَسْعُودٌ .

(٥) ما اسم الرجل؟ .

(٦) ابن من أنت؟ أنا آبن الوزير.

الكلمات الجديدة :

الرسول	الكَعْبَة	الاسْمُ	الابْنُ
العَمّ	الخَالُ	الحَقِيْبَةُ	السَيَّارَةُ
الشَّارِعُ	مُغْلَقٌ	تَحْتَ	هُنَاكَ
المهَندِسُ			

سيّارةُ المدرّسِ

↓ ↓

مُضَافٌ مُضَافٌ إلَيْهِ

الدَّرْسُ السَّادِسُ

هـٰـــذه

هذا ٱبْنُ حامدٍ وهـٰذِهِ بِنْتُ يَاسِرٍ .

ٱبْنُ حامد جالِسٌ وبنت ياسر واقفةٌ .

من هـــذه ؟

هذه أُخْتُ المهندس .

أهِيَ أَيْضاً مهندسةٌ ؟

لا ، هي طَبِيْبَةٌ .

سيارة من هذه ؟

هذه سيارة المدير .

ما هـــذه ؟

هـــذه مِكْـواةٌ .

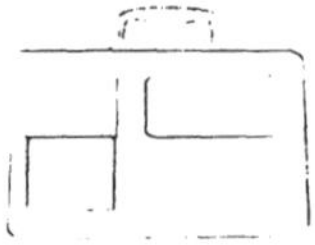

لِمَنْ هـــذه ؟

هذه لِخَالِـــدٍ .

أدَرّاجَةُ أَنَسٍ هذه ؟

لا ، هذه دَرّاجَةُ عَمّار . هذه جديدةٌ ،

ودرّاجة أنس قديمةٌ .

هذه سَاعَةُ عليٍّ . هي جميلةٌ جِداً .

هذه مِلْعَقَةٌ وهذه قِدْرٌ . المِلْعَقَة في القدر .

هذه بَقَرَةُ الفَلّاح .

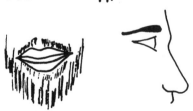

هذا أَنْفٌ وهذا فَمٌ .

هذه أُذُنٌ وهذه عَيْنٌ .

وهذه يَدٌ وهذه رِجْلٌ .

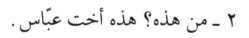

تَمَــــارِيْن

(١) اِقْــــرأ واكتــــب :

١ ـ هذا مسجد وهذه مدرسة .

٢ ـ من هذه؟ هذه أخت عبّاس .

٣ ـ هذا ديك وهذه دجاجة .

٤ ـ هذا ٱبْن المدير وهذه بنت المدرس .

٥ ـ هذه أمّ ياسر .

٦ ـ أين قدر اللحم؟ هي في الثلاَّجة .

٧ ـ هذا باب وهذه نافِذَةٌ .

تَمَارِيْنُ

(٢) ما هـٰـــذا و ما هـٰـــذِهِ ؟

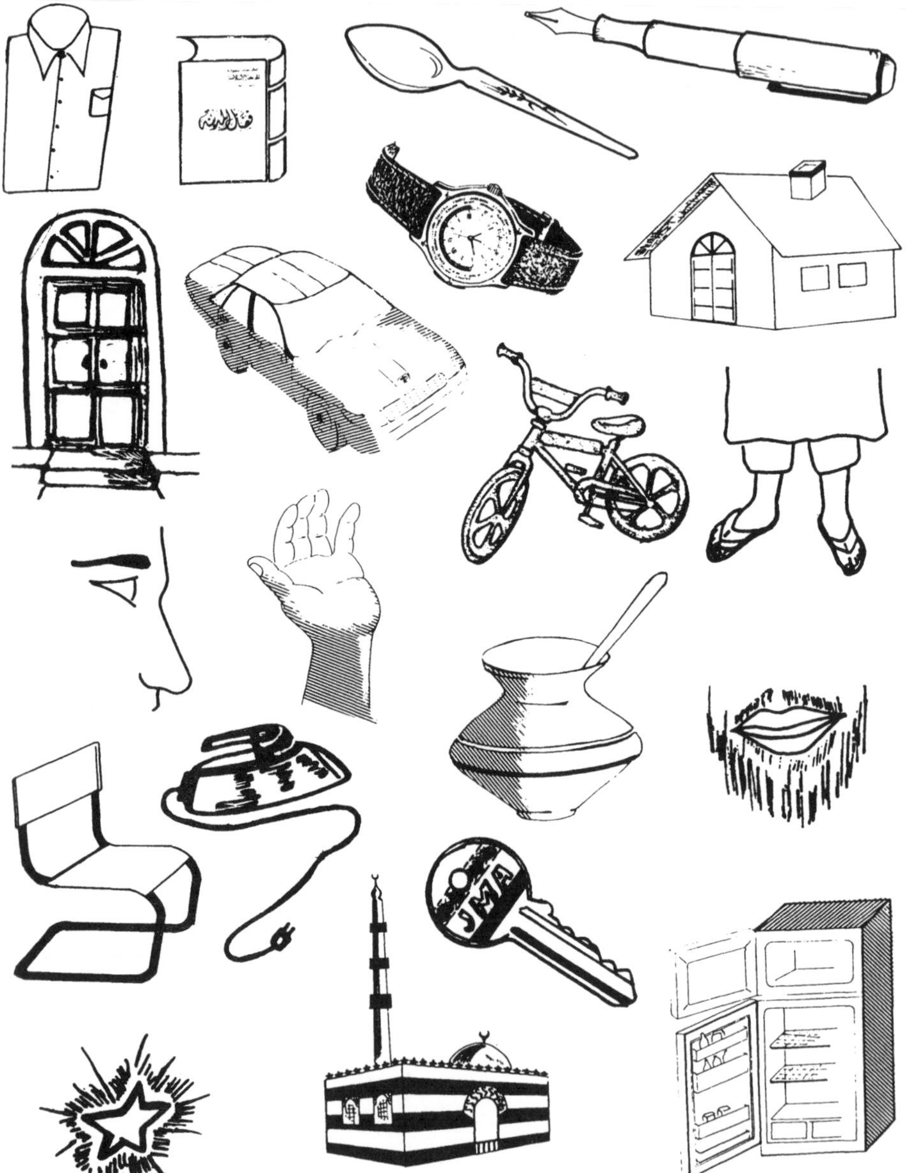

(٣) اِقرأ المِثالَ وكوِّنْ جُمَلاً على غِراره :

(١) محمدٌ طالبٌ .	آمنةُ طالبــةٌ .
(٢) حامد طبيبٌ .	فاطمة ....
(٣) هو مُسْلِمٌ .	هي ....
(٤) الباب مُغْلَق .	النافِذَة ....
(٥) المنديل وَسِخ .	اليد ....
(٦) الشايُ حارّ.	القَهْوَة ....
(٧) المسجد بعيد .	المدرسة ....
(٨) الطالب مريض .	الطالبة ....
(٩) الحصان سَرِيْعٌ .	السيارة ....
(١٠) القمر جميل .	الشمس ....
(١١) الأب جالِس .	الأُمّ ....

(٤) صَحِّحْ الْجُمَلَ الآتيــة :

(١) حقيبةُ مَنْ هذا ؟ ....

(٢) الغرفة مفتوح . ...

(٣) هذا سيارة الطبيب . ...

(٤) هذه مفتاح السيارة . ...

(٥) أين السيارة؟ هو في الشارع. ....

(٥) اقرأ واكتب مع ضبط أواخر الكلمات :

(١) هذا لمحمد وذلك لحامد. (٢) لمن هذه؟ هذه لياسر.

(٣) الحمـــــد لله. (٤) لله المَشْرِقُ والمَغْرِبُ.

الكلمات الجديدة :

المِكْواة	الدرَّاجَةُ	المِلْعَقَةُ	القِدْرُ
البَقَرَةُ	الفَلّاحُ	الأَنْفُ	الفَـمُ
الأُذُنُ	اليَـدُ	الرِجْـلُ	الشّايُ
الأُمُّ	الثَّلّاجَةُ	القَهْوَة	سَرِيْعٌ
النَّافِذَةُ	جِـداً		

(٧) الدَّرْسُ السَّابِعُ

من هــذه ؟

هــذه آمنــة .

ومن تِلْــكَ ؟

تِلْكَ فاطمــةُ .

هذه طبيبة وتِلْكَ مُمَرِّضَةٌ .

هذه من الهِنْد وتلك من اليابان .

هذه طَوِيْلَةٌ وتلك قَصِيْرَةٌ .

من هــذا ؟

هــذا حامــدٌ .

ومــن ذلــك ؟

ذلــك علــيٌّ .

أتلك دجاجــةٌ ؟

لا . تلكَ بَطَّــةٌ .

مـا تِلْــكَ ؟

تِــلْكَ بَيْضَــةٌ .

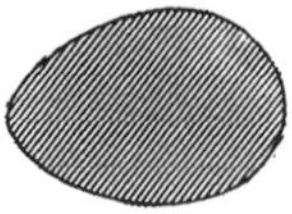

هذه سيّارة المدرِّس وتلك سيّارة المدير .

أساعةُ عبّاسٍ هــذه ؟

لا . هذه ساعةُ حامدٍ، تلك ساعة عبّاسٍ .

ذلك ديكٌ وتلك دَجَاجَــةٌ .

تَمَــارِيْنُ

(١) اِقــرأْ واكتــب :

(١) هذه مَدْرَسة وتلكَ جامِعَة . (٢) ذلك حمار وتلك بَقَرَة .

(٣) أذلك مسجد؟ لا . تلكَ مدرسة (٤) هذا جمل وتلك نَاقَة .

(٥) هذه مدرسة وتلك طالبة . (٦) هذا كلب وذلك قط .

(٧) هذا بيت المؤذِّنِ وتلك حديقة التاجر.

(٢) أشر إلى الكلمات الآتية باسم إشارة للبعيد (ذلك ، تلك) :

(١) .... أُم . (٢) .... أَب . (٣) .... قَلَم .

(٤) .... مِلْعقة . (٥) .... عَين . (٦) .... حَجَر .

(٧) .... قميص . (٨) .... قِدْر . (٩) .... نافذة .

(١٠) .... بَقرة . (١١) .... مكتب . (١٢) .... ناقة .

(١٣) .... مهندس . (١٤) .... مُؤَذِّن . (١٥) .... مُمَرِّضة .

(١٦) .... سرير . (١٧) .... حديقة . (١٨) .... طالبة .

(١٩) .... جمل . (٢٠) .... بطّـة .

الكلمات الجديدة :

الْمُمَرِّضَـة   الحَدِيْقَـة   البَطَّـة

الْمُـؤَذِّن   النَاقَـةُ   البَيْضَـةُ

أسماء الإشارة للقريب	أسماء الإشارة للبعيد
هـذا محمـدٌ	ذلـك حـامدٌ
هـذِهِ آمِنَـةُ	تِلْكَ زينـبُ

(٨) الدَّرْسُ الثَّامِنُ

هذا الرَّجُلُ تاجر وذلك الرَّجُلُ طبيب.

اِسْمُ التاجرِ محمود وٱسْم الطبيب سعيد.

هذا البيتُ لِلتَّاجِرِ وذلك البيتُ لِلطَّبِيبِ.

بيتُ التاجرِ أَمامَ المسجدِ وبيتُ الطبيبِ خَلْفَ المَدْرسةِ.

لِمَنْ هذه السيّارةُ ولِمَنْ تلكَ؟

هذه السيارة للطبيب وتلك للتاجر.

هذه السيارة من اليابان وتلك من أمريكا.

تَمَارِيْنُ

(١) أَجِبْ عن الأسئلة الآتية:

(١) من هذا الرجل ومن ذلك الرجل؟

(٢) ما اسم التاجر؟

(٣) ما اسم الطبيب؟

(٤) من أين سيارة الطبيب؟

(٥) من أين سيارة التاجر؟

(٦) أين بيت التاجر ؟

(٧) أين بيت الطبيب؟

(٢) اِقــرأ واكتـــب :

(١) هذا الولد خالد وذلك الولد محمد .

(٢) هذا الرجل مدرس وذلك الرجل مهندس .

(٣) هذا الكتاب جديد وذلك الكتاب قديم .

(٤) هذه السيّارة لعلي وتلك لخالد .

(٥) هذا الباب مفتوح وذلك الباب مُغْلَق .

(٦) لمن هذه الساعة ؟ هي لعبّاس .

(٧) أهذا البيت للطبيب ؟ لا . هو للمدرس .

(٨) أهذه الدرّاجة لاْبن المؤذّن ؟ نعم .

(٩) من هذا الولد ؟ هو طالب من الصين .
(١٠) أذلك البيت جديد ؟ لا . هو قديمٍ جدًّا .
(١١) هذه السيارة من اليابان وتلك من امريكا .
(١٢) هذا السِّكِّينُ من أَلْمَانيا وتلك الملعقة من إنكَلْتَرّا .

(٣) اِقرأ المثال الآتي ثم حوّل الجُمَلَ الآتية مِثْلَهُ :

مثال : هذا كتابٌ . هذا الكتابُ لمحمدٍ .

(١) هذا طبيب. .... من الهند.

(٢) هذه سيّارة. .... للمدير.

(٣) ذلك ولد. .... ابن المدرس.

(٤) تلك ساعة. .... من سُويسْرا.

(٥) هذا بيت. .... للمهندس.

(٦) هذا قلم. .... لعبّاس.

(٧) ذلك رجل. .... مؤذّن.

(٨) هذه بَيْضَة. .... كبيرةٌ.

(٩) هذا منديل. .... وَسِخ.

(١٠) هذه حقيبة. .... للمدرس.

(٤) اِقرأ المثال الآتي ثم كوِّن أسئلةً وأجوبةً مثله :

مثال: لِمَنْ هذا الكتابُ ؟ هذا الكتاب لمحمدٍ. (محمد)

(١) .... (عباس)

(٢) .... (عليّ)

(٣) .... (المدير)

(٤) .... (الفلّاح)

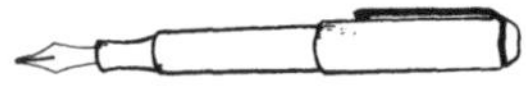

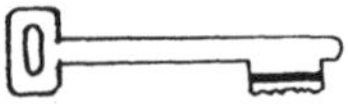

(٥) .... (المدرس)

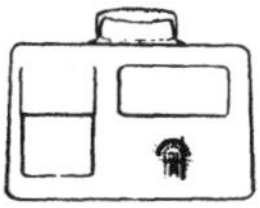

(٦) .... (عمّار)

(٧) .... (بنت الفلّاح)

(٨) .... (ابن المدير)

(٩) .... (الطبيب)

(١٠) .... (الطالب)

(٥) تأمَّلْ الأمثلة الآتيــة :

البيتُ	في البيتِ	من البيتِ	إلى البيتِ
المُسْتَشْفَى	في المُسْتَشْفَى	من المُسْتَشْفَى	إلى المُسْتَشْفَى
أَمْرِيكا	في أمريكا	من أمريكا	إلى أمريكا
أَلمانِيَا	في ألمانيا	من ألمانيا	إلى إلمانيا

اِقــرأ واكتــب :

(١) هذا الطبيب من إنكلترّا .

(٢) ذهب حامد إلى فَرَنْسا .

(٣) محمود مريض . هو الآن في المستشفى .

(٤) ذهب عبدُالله من ألمانيا إلى انكلترّا .

(٥) هذا الكتاب لعِيسَى وذلك الكتاب لِمُوسَى .

(٦) هذا المهندس من أمريكا .

(٦) اقــــرأ :

(١) السبورة أمامَ الطالبِ وهي خَلْفَ المدرسِ .

(٢) اين سيّارة المدرسِ ؟ هي أمامَ المدرسةِ .

(٣) أين بيت الإمامِ ؟ بيت الإمامِ خَلْفَ المسجدِ .

(٤) أين جَلَسَ حامد ؟ جلس خلف محمودٍ .

(٥) ذَهَبَ عمّار إلى المسجدِ وجلس أمام المِحْرابِ .

الكلمات الجديدة
المستشفى ـ ألمانيا ـ إنكلترا ـ سويسرا
السكين ـ فرنسا ـ أمام ـ خلف

(٩) الدَّرْسُ التَّاسِعُ

(أ)

مَنْ هذا الرَّجل ؟

هــو عبّــاس .

عبّاس تاجــرٌ .

عبّاس تاجر غَنِيٌّ .

حامــد مــدرِّسٌ .

حامد مدرِّسٌ جَدِيدٌ .

ما هــــذا ؟

هــذا تُفّــاح .

التفاح فاكِهَةٌ لَذِيْذَةٌ .

ما ذلـــك ؟

ذلك عُصْفُوْرٌ .

العُصْفُوْرُ طائِرٌ صغِيرٌ .

العربيةُ لُغَةٌ سَهْلَةٌ .

العربيةُ لُغَةٌ جَمِيْلَةٌ .

عمّارٌ طالب مُجْتَهِدٌ، ومحمودٌ طالبٌ كَسْلانُ .

مَــــنْ أنــــتَ ؟

أنا طالـــــبٌ .

أأنتَ طالبٌ جديدٌ ؟

نعم. أنا طالبٌ جديدٌ .

تَمَــــارِيْنُ

(١) اِقْـــرأ واكتـــب :

(١) محمد طالب قديم .

(٢) أذلك الرجل مدرس جديد؟ لا . هو طبيب جديد .

(٣) هذا درس سهل . (٤) عباس تاجر شَهِير.

(٥) بِلال مهندس كبير. (٦) الإِنْكِلِيْزِيَّةُ لغة صعبة .

(٧) أأنت رجل غنيّ ؟ لا . أنا رجل فقير.

(٨) القَاهِرَةُ مَدِينَةٌ كبيرة . (٩) أأنــت مدرس قديم ؟
لا . أنا مدرس جديد .

(١٠) أحامد طالب كسلان ؟ لا . هو طالب مجتهد .

(٢) ضع في الفراغ في الجمل الآتية نَعْتاً مناسباً :

(١) خديجة طالبة ....   (٢) خالد تاجر ....

(٣) العربية لغة ....   (٤) العصفور طائر ....

(٥) التفاح فاكهة ....   (٦) أنا مدرس ....

(٧) محمد طبيب ....   (٨) الإنكليزية لغة ....

(٩) أأنت طالب ....   (١٠) القاهرة مدينة ....

(٣) ضع في المكان الخالي في الجمل الآتية منعوتاً مناسباً :

(١) العربية .... سهلة .   (٢) أنا .... قديم .

(٣) عمّار .... غنيّ .   (٤) هـذا .... مكسور .

(٥) فيصل .... كسلان .

(٤) اِقْـــرأْ :

كَسْلانُ . جَوْعَانُ . عَطْشَانُ . غَضْبَانُ . مَلْآنُ .

(١) أنـا جوعـان .   (٢) أأنت جوعـان ؟ لا ، أنـا عطشـان .

(٣) لِماذا المـدرسُ غضبـان الـيوم ؟   (٤) الـكـوب ملآن .

الكلمات الجديدة :

اللغة	شهير	المدينة
الطائر	اليوم	كسلان
جوعان	عطشان	ملآن
غضبان	العصفور	اليَوْمَ

« ب »

أين المدرسُ ؟

هو في الفصل .

وأين المدرسُ الجديدُ ؟

هو عِنْدَ المديرِ .

أين الطالبُ الجديدُ ؟

ذهب إلى المَكْتَبَةِ .

مَنْ ذلِكَ الرَّجلُ الطويلُ الذي خَرَجَ الآنَ من المدرسة؟

هو المذيرُ الجديدُ .

ومن الولدُ الصغيرُ الذي خرج الآنَ من الفصل ؟

هو آبنُ المدير الجديدِ .

لِمَنْ تلك السيارةُ الْجميلةُ ؟

هي للمديرِ الجـــديـدِ .

لِـمَنْ هذا الكتابُ الكبيرُ؟ أهو للمدرسِ ؟

لا . هو للطالبِ الجـديـدِ .

أين الملعقةُ الصغيرةُ ؟

هي في الكُـــوب .

أين الكرســـيُّ المكســورُ ؟

هو هنـــــاك .

تَمَـــارينُ

(١) اِقــرأ واكتـــب :

(١) الـطبيبُ الجـديدُ في المستشفى والـطبيب القـديم في المُسْتَوْصَف .

(٢) القلم المكسور على المكتب .

(٣) المِرْوَحَةُ الجديدة في الغرفة الكبيرة .

(٤) اللغـة العربيـة سهلــة .

(٥) الولد الطويل الذي خرج من الفصل الآن طالب من الهنـد .

(٦) أنا في المدرسة الثانَوِيَّة .

(٧) ذهب الرجل الفقير إلى الوزير.

(٨) جلس الطالب الجديد خَلْفَ حامد .

(٩) السكين الكبير حادٌّ جداً .

(١٠) من هذا الولد الصغير ؟ هو ٱبن المدرس الجديد .

(٢) اِملأ في الفراغ فيما يلي بالنعت الذي بين قوسين بعد تحليته بـ ال عند اللزوم .

(١) أين المدرس .... ؟ (جديد)

(٢) التاجر .... في السوق . (كبير)

(٣) أنا طالب .... (قديم) .

(٤) جلس الطالب .... خلف محمد . (جديد)

(٥) من الولد .... الذي خرج الآن من الفصل؟ (طويل)

(٦) عمّـار ولـد .... (قصير)

(٧) فيصل طبيب .... (شهير)

(٨) لمن هذا السرير .... ؟ (مكسور)

(٩) هذا قلم .... (مكسور)

(١٠) أين السكين .... ؟ (حـاد)

(١١) لمن هذه السيارة .... ؟ (جميلة)

(٣) اِقــــرأ :

(١) الطالب الذي خرج من الفصل الآن من إندونيسيا .

(٢) الكتاب الذي على المكتب للمدرس .

(٣) لمن هذا القلم الجميل الذي على المكتب؟

(٤) البيت الكبير الذي في ذلك الشارع للوزير.

(٥) السرير الذي في غرفة خالد مكسور.

بيتٌ	جــديدٌ
↓	↓
مَنْعُوتٌ	نَعــــتٌ

الكلمـات الجـديـدة :

المكْتَبَةُ ــ الآنَ ــ المرْوَحَةُ ــ المُسْتَوْصَفُ

المَدْرَسَةُ الثانِوِيَّةُ ــ الوَزِيْرُ ــ شَهِيْرٌ ــ حَـادٌّ

(١٠) الدَّرْسُ الْعَاشِـــرُ

حامد : مَنْ أَنْتَ ؟

محمد : أنا طالبٌ بالجامعةِ .

حامد : أأنت طالبٌ جديدٌ ؟

محمد : نعم . أنا طالب جديد .

حامد : مِنْ أين أنت ؟

محمد : أنا مِنَ الهِنْدِ .

حامد : ما آسْمُكَ ؟

محمد : اسمي محمد .

حامد : ومن هذا الفَتَى الذي مَعَكَ ؟

محمد : هو زَمِيْلِــي .

حامد : أهو أيضاً من الهند ؟

محمد : لا . هو من اليابان .

حامد : ما آسْمــــه ؟

محمد : اسمه حَمْــزَةُ .

حامد : ما لُغَتُكَ يامحمد ؟

محمد : لُغَتي الأُرْدِيَّةُ .

حامد : أهِيَ لُغَةٌ سَهْلَةٌ ؟

محمد : نعم . هي لغة سهلة .

حامد : وحمزة ، ما لُغَتُه ؟

各部の名称と使いかた

محمد : لُغَتُه اليَابَانِيَّةُ ، وهي لُغَةٌ صَعْبَةٌ .

اللُّغَة اليَابَانِيَّةُ

حامد : أين أَبُوكَ يامحمد ؟

محمد : أبي في الكُوَيْتِ . هو طبيبٌ شَهِيْرٌ .

حامد : وأين أُمُّــــكَ ؟

محمد : هي أيضاً في الكويت مَعَ أبي . هي مُدَرِّسَة هناك .

حامد : أذَهَبْتَ إلى الكويتِ يامحمد ؟

محمد : نعم . ذَهَبْتُ .

حامد : وزميلُك ، أين أبوه ؟

محمد : أبوه في اليابان . هو تاجر كبير .

حامد : ألَكَ أَخٌ يامحمد ؟

محمد : نعم . لِيْ أَخٌ واحدٌ ، اسْمُه أُسامَةُ ، وهو مَعِي هنا في المدينة المُنَوَّرَةِ . ولِي أُخْتٌ واحدةٌ اسمُها زينبُ ، وهي في العِراق مَعَ زَوْجِها . زَوْجُها مهندسٌ .

حامد : أعِنْدَك سيارة ياأخي ؟

محمد : لا . ما عِنْدي سيارةٌ . عندي درّاجةٌ . حمزَةُ، عِنْدَه سيارةٌ .

تَمَــارِيْنُ

(١) أجِبْ عن الأسئلة الآتيــــة :

(١) ما ٱسمُـــك ؟

(٢) من أين أنت ؟

(٣) ما لُغَتُــك ؟

(٤) أين أبــوك ؟

(٥) أين أمّــك ؟

(٦) ألــك أخٌ ؟

(٧) ألــك أخت ؟

(٨) أعِندَك سيــارة ؟

(٩) أعندَك درّاجة؟

(١٠) أعندَك قلم ؟

(١١) أعندك دفــتر ؟

(١٢) أأبــوك تاجر ؟

(١٣) من أين محمدٌ ؟

(١٤) ما لغتــه ؟

(١٥) أين أبــوه ؟

(١٦) أين أمّــه ؟

(١٧) من أين حمزة؟

(١٨) ما لغتــه ؟

(١٩) أين أبــوه ؟

(٢٠) أين زينــبُ ؟

(٢١) أين زوجهــا ؟

(٢٢) أزوجها مدرس ؟

(٢) ضع في الفراغ فيما يلي الضمير (ه / ها) :

(١) هذه البنت طالبة . اِسْمُــ .... زينب .

(٢) محمد طبيب . وآبنــ .... مهندس .

(٣) هذا الرجل تاجر كبير . اسمــ .... عبدالله .

(٤) آمنـــة في الغرفة وأمّــ .... في المطبخ .

(٥) عائشة طبيبة وأختــ .... ممرضة .

(٦) خرج محمد من الفصل وخرج مَعَــه زميلــ ....

(٣) هات خمسة أسئلة وأجوبة كالمثال الآتي :

أعِنْــدَكَ قَلَمٌ ؟ نعم . عِنْدِي قَلَمٌ .

(٤) هات خمسة أسئلة وأجوبة كالمثال الآتي :

أعِنْــدَكَ قَلَمٌ ؟ لا . ما عِنْدِي قَلَمٌ .

تأمَّـل ما يلـي : بَيْـــتٌ

بَيْـتِيْ بَيْتُهَا

بَيْتُــكَ بَيْتُــهُ

(٥) أَضِفْ الأسماء الآتية إلى المتكلم والمخاطب والغائب والغائبة كما هو موضّح في المثال :

قَلَمٌ	هذا قَلَمِي	هذا قَلَمُكَ	هذا قَلَمُهُ	هذاقَلَمُهَا
كتابٌ	....	....	....	....
سريرٌ	....	....	....	....
اِسْمٌ	....	....	....	....
منديلٌ	....	....	....	....
اِبْــنٌ	....	....	....	....
سيّارةٌ	....	....	....	....
مفتاحٌ	....	....	....	....
يَــدٌ	....	....	....	....

(٦) اِقْــــرأْ :

لي　　لَــكَ　　لَــهُ　　لَهَــا

(١) لي أخْتٌ واحدةٌ .

(٢) أَلَكَ أَخٌ ؟ لاَ ، ما لِي أَخٌ .

(٣) أُخْتي لَهَا طِفْلٌ صغير .

(٤) زَمِيْلي له أَخٌ وأُختٌ .

(نقول: عِنْدي كتاب. ونقول: لِي أَخٌ. لا نقول: عِنْدي أَخٌ).

(٧) مَـــعَ:

(١) خرج حامد مَعَ خالدٍ.

(٢) ذهب الطبيبُ مَعَ المهندسِ.

(٣) جَلَسَ المدرسُ مَعَ المديرِ.

(٤) مَنْ مَعَكَ ياعليّ؟ مَعِي زَميلي.

(٥) آمنة معها زَوْجُها.

(٦) خَرَجَ أبي من البيت. مَنْ خَرَجَ مَعَهُ؟ خَرج مَعَهُ عَمِيّ.

(٨) بَيْتٌ	بَيْتُكَ	بَيْتُهُ	بَيْتُهَا	بَيْتِي
أَبٌ	أَبُوكَ	أَبُوهُ	أَبُوهَا	أَبِي
أَخٌ	أَخُوكَ	أَخُوهُ	أَخُوهَا	أَخِي

(١) أبي وأميّ في البيت.

(٢) أين أبوك ياحامد؟ ذهب إلى السوق.

(٣) أأخوك طبيب؟ لا، هو مدرس.

(٤) زينب في الرياض. أخوها في الطائف وأبوها في المدينة المنورة.

(٥) هذا الطالب أبوه وزير وأخوه تاجر كبير.

(٦) ذهب أخي إلى المدرسة وذهب أبي إلى الجامعة .

(٩) محمدٌ   خالدٌ   حامدٌ   عباسٌ   محمودٌ

حَمْزَةُ   طَلْحَةُ   أُسَامَةُ   مُعَاوِيَةُ   عِكْرِمَةُ

اِقــرأ الأسماء الآتية واضبط أواخرها :

خالـد . حمزة . عمار . أنس . معاوية . حامد . أسامة . عكرمة . عباس . محمد . طلحة .

الكلمات الجديدة :

الزَّمِيْلُ   الزَّوْجُ   واحِـدٌ   فَتًـى   مَـعَ

الطِّفْلُ   الكُوَيْتُ   اللغَـةُ

(١١) الدَّرْسُ الْحَادِيَ عَشَرَ

بَيْـــــتِي

هذا بيتي . بيتي أمام المسجد . بيتي جميلٌ . فيه حديقةٌ صغيرةٌ .

هذه غرفتي . فيها نافذةٌ كبيرةٌ ومروحةٌ جميلةٌ . هذا سريري وهذا كرسيّ وهذا مكتبي . ساعتي وقلمي وكتابي على المكتب . وحقيبتي تحت المكتب . نافذة غرفتي مفتوحة .

هذه غرفـةُ أخي . وتلك غرفةُ أختي . غرفةُ أخي كبيرةٌ وغرفةُ أختي صغيرةٌ . غرفةُ أخي أمامَ غرفتي وغرفةُ أختي أمامَ المطبخ .

لي أخٌ واحدٌ آسمهُ أسامةُ ، ولي أختٌ واحدةٌ اسْمُها سُعَادُ .

أبي وأمي في تلك الغرفة الكبيرة .

أنا أُحِبُّ أبي وأمي . وأحبّ أخي وأختي .

تَمَــــارِيْنُ

(١) اقــرأ واكتـــب :

(١) من في هذا البيت ؟ فِيْهِ حامد .

(٢) ماذا في الحقيبة ؟ فِيْها كتابي وقلمي ودفتري .

(٣) من في السيارة ؟ ___ فيها أبي وأمي وأخي وأختي .

(٤) من في مسجد الجامعة الآن ؟ ما ___ فيه أَحَدٌ .

(٥) من في هذه الغرفة ؟ ___ فيها المدير .

(٢) اقـــرأ :

(١) أُحِبُّ أبي وأمّي . (٢) أحبّ أخي وأختي .

(٣) أحبّ زميلي . (٤) أحبّ أستاذي .

(٥) أحبّ اللَّهَ . (٦) أحبّ النبيَّ ﷺ .

(٧) أحبّ اللغةَ العربيّةَ .

(١٢) الدَّرْسُ الثَّانيَ عَشَرَ

سُعاد : السلام عليكِ ورحمة الله وبركاته .

البنتُ : وعليكِ السلام ورحمة الله وبركاته .

كَيْفَ حالُكِ يابنتُ ؟

أنا بِخَيْرٍ والحمدُ لله .

مِن أينَ أنتِ ؟

أَنا من الرياض .

ما ٱسْمُكِ ؟

اسمي آمنة .

أين أبوكِ ؟

أبي هنا في المدينة المنورةِ . هو مُوَجهٌ في المدرسةِ الثانَويَّةِ .

وأين أمّكِ ؟

هي أيضاً هنا . هي طبيبة في مستشفَى الوِلادة .

ومن هذه الفتاةُ الَّتي مَعَكِ ؟ أهي أختُكِ ؟

لا . هي بنتُ عميّ .

ما ٱسمها ؟

اسمُها فاطمة .

أهي زمِيْلَتُكِ ؟

لا . أنا في المدرسة الْمُتَوَسِّطَةِ وهي في المدرسة الثانَوِيَّةِ .

أَلَكِ أخـــتٌ ؟

لا . ما لي أخت .

أَلَـــكِ أَخٌ ؟

نعم . لي أخ كبير وهو طالبٌ بالجامعة .

ومن هذا الطِفْل الذي مَعَكِ ؟

هو ٱبْن أخـــي .

ما ٱسمُـــه ؟

ٱسمُـــه سَعْـدٌ .

أأمّكِ في البيت الآنَ ؟

لا . ذَهَبَتْ إلى المستشفى .

تمـــارين

(١) اقـرأ واكتـــب :

(١) كيف حالك ياأبي؟ (٢) كيف حالك ياأمي؟

(٣) أين ٱبنك يازينب؟ ذهب إلى المسجد .

(٤) أين بنتك ياآمنة؟ ذهبتْ إلى المدرسة .

(٥) لمن هذه الساعة الجميلة؟ أهي لك يافاطمة؟ نعم . هي لي .

(٦) أهذا قلمك يامحمد؟ لا . هذا قلمك أنتَ .

(٧) تلك السيارة الجميلة التي خرجت الآن من المدرسة للمدير .

(٨) أأنت مهندس يا أَخي ؟ لا. أنا طبيب .

(٩) أأنتِ طبيبة يا أُختي؟ لا . أنا مدرسة .

(٢) أقـرأ كلَّ جملة من الجمل الآتية ، ثم اقرأها أخرى بعد تغيير المنادى كما هو موضّح في المثال :

مثال : أين قَلَمُكَ ياأبي؟ — أين قَلَمُكَ ياأمي ؟

(١) أعندكَ قَلم يامحمد؟ — ياآمنة؟

(٢) أين بيتكَ ياأُستاذي ؟ — ياأُستاذتي؟

(٣) أهذا الدفتر لكَ ياعليّ؟ .... يافاطمــة؟

(٤) من أين أنتَ ياأخي ؟ .... ياأختي؟

(٥) أين أبوكَ ياخالد؟ .... ياخَدِيجة؟

(٦) أأنتَ مريض ياخالي؟ .... ياخالتي؟

(٧) أين بنتكَ ياعمّي ؟ .... ياعمّتي؟

(٨) ألكَ أخ ياحامد؟ .... ياسُعاد؟

(٩) ماذا عندكَ ياأخي ؟ .... ياأختي؟

(١٠) السلام عليكَ ياأبي؟ .... ياأمّي ؟

(٣) أَنِّثْ الفاعل في كلٍّ من الجمل الآتية :

مثال: خَرَجَ محمد من البيت . خَرَجَتْ آمنة من البيتِ .

(١) ذَهَبَ المدرس إلى الفصل . ...

(٢) ذَهَبَ أبي إلى المستشفى . ...

(٣) جَلَسَ الطالب في الفصل . ...

(٤) خَرَجَ أخي من البيت . ...

(٤) تأَمَّلْ ما يلي: جَلَسَتْ الطَّالبةُ ← جلستِ ٱلطَّالبةُ

ـْـ ال ← ـــِ ال

(٥) اقرأ الجمل الآتيــة :

(١) من الفَتَى الذي خرج من بيتك الآن؟ هو ٱبن عمي .

(٢) من الفتاةُ الَّتي خرجت من بيتكَ الآن يامحمد؟ هي بنتُ خالَتي .

(٣) لمن المفتاح الذي على المكتب؟ هو للمدرس .

(٤) لمن الساعة التي على السرير؟ هي لِزَوْجِ أختي .

(٦) أَكْمِلْ الجمل الآتية بوضع اسمٍ مَوْصولٍ مناسب (الذي، التي) في الفراغ:

(١) الكتاب .... على المكتب للمدرس .

(٢) القلم .... في حقيبتي مكسور.

(٣) السيارة ...... خَرَجَتْ من المستشفى الآن للطبيب الجديد.

(٤) الكلب .... في الحديقة مريض.

(٥) الفتى .... خَرَجَ من المسجد الآن ابن المؤذِنّ.

(٦) تلك البطة .... تحت الشَجَرةِ لبنت الفلاح.

(٧) البيت الجديد .... في ذلك الشارع للوزير.

(٨) الدَرْسُ .... بَعْدَ هذا الدَرْسِ سَهْل جدًّا.

(٩) من الفتاة ..... جَلَسَتْ أمامَ المدرّسة؟ هي طالبة من مالِيزِيا.

(١٠) أتلك الحقيبة .... تحت المكتب لك ياخالد؟

لا. هي لصديقي محمدٍ.

الكلمات الجديدة :

العَمّ : أَخُو الأبِ	العَمّة : أختُ الأَبِ
الخالُ : أخو الأمّ	الخالة : أخت الأمّ
الفـــلّاح	مستشفَى الوِلادةِ

(١٣) الدَّرْسُ الثَّالثَ عَشَرَ

« أ »

مَن هٰؤُلاءِ الفِتْيَةُ الطِوَالُ يا عليّ ؟

هُمْ طُلَّابٌ جُــدُدٌ .

من أين هُــمْ ؟

هُمْ من أمريكـــا .

أهُمْ زُمَـــلاؤُكَ ؟

نعم . هُمْ زُمَلائي . هُمْ في فصلي .

أهُمْ مُجْتَهِــدُونَ ؟

نعم . هُمْ مُجْتَهِــدونَ .

ما أسمـــاؤُهُمْ ؟

أسماؤُهُمْ : ياسِرُ وَزَكَرِيَّا ومُوْسَى وعبدُالله .

ومن هٰؤلاءِ الرجالُ القصارُ ؟

هم حُجّـــاجٌ .

من أيــن هــم ؟

بَعْضُهم من الصِّينْ وبَعْضُهم من اليابان .

أين مُوْسَىٰ وأَصْدِقَاؤُه ؟

ذَهَبُوا إلى المطعـــم .

تَمَــــارِيْنُ

(١) حوِّلْ المُبْتَدَأَ في كلٍّ من الجمل الآتية إلى جَمْع :

مثال : هذا طالب .	هؤلاءِ طُلّابٌ	(طُلّابٌ)
(١) هذا تاجرٌ.	....	(تُجّارٌ)
(٢) هذا حاجٌّ .	....	(حُجّاجٌ)
(٣) هذا رَجُلٌ .	....	(رِجَالٌ)
(٤) هذا كبيرٌ.	....	(كِبَارٌ)
(٥) هذا صَغيرٌ.	....	(صِغَارٌ)
(٦) هذا قَصِيرٌ.	....	(قِصَارٌ)
(٧) هذا طويلٌ .	....	(طِوَالٌ)
(٨) هذا وَلَدٌ .	....	(أَوْلادٌ)
(٩) هذا ٱبنٌ .	....	(أَبْنَاءٌ)
(١٠) هذا عَمٌّ .	....	(أَعْمَامٌ)
(١١) هذا شَيْخٌ .	....	(شُيُوخٌ)

(١٢) هذا ضَيْفٌ . ... (ضُيُوفٌ)

(١٣) هذا زَميلٌ . ... (زُمَلاءُ)

(١٤) هذا فَقيرٌ. .... (فُقَرَاءُ)

(١٥) هذا غَنيٌ . ... (أغْنِيَاءُ)

(١٦) هذا صَدِيْقٌ . ... (أصْدِقَاءُ)

(١٧) هذا طبيبٌ . ... (أطِبّاءُ)

(١٨) هذا فتىً . ... (فِتْيَةٌ)

(١٩) هذا أخٌ . ... (إخْوَةٌ)

(٢٠) هذا جديدٌ . ... (جُـــدُدٌ)

(٢١) هذا مدرِّسٌ . ... (مدرِّسُوْنَ)

(٢٢) هذا مهندسٌ . ... (مُهندسُوْنَ)

(٢٣) هذا فلاّحٌ . ... (فلاّحُوْنَ)

(٢٤) هذا مجتهدٌ . ... (مجتهدُوْنَ)

(٢٥) هذا مُسْلِمٌ . ... (مسلِمُوْنَ)

(٢) حوِّلْ المفردات التي تحتها خط إلى جموع كما هو موضّح في المثال :

مثال: من هذا الرجل؟ هو حاجٌّ . من هؤلاء الرجال؟ هم حجّاجٌ .

(١) من أين هذا الطالب؟ هو من الهند . ...

(٢) أين التاجر الكبير؟ هو في السوق. ....

(٣) أين المدرس الجديد؟ هو عند المدير. ....

(٤) أين الطالب الجديد؟ أهو في الفصل؟ ....

(٥) أهذا الطالب غنيّ؟ لا . هو فقير. ....

(٦) مَن هذا الرجل؟ هو ضَيْفٌ. ....

(٧) لي أخ كبير. هو طالب بالجامعة. ....

(٨) أين صديقك؟ ذَهَبَ إلى المكتبة. ....

(٩) محمد له ٱبن صغير. هو طالب في المدرسة. ....

(١٠) أزميلك مجتهد؟ نعم، هو مجتهد. ....

(٣) أضِفْ الأسماء الآتية مرة إلى اسم ظاهر وأخرى إلى ضمير كما هو موضّح في المثال:

مثال: أَبْنَاءُ	أبناءُ محمدٍ	أبناؤُه
أَسْماءُ	.... الطلابِ	.... هُمْ
زُمَـلاءُ	.... حامدٍ	.... كَ
أَصْدِقَاءُ	.... المدرسِ	.... هُ

(٤) اِقرأ المثال ثم حوّلْ الجمل الآتية مثله :

مثال: الطالبُ ذَهَبَ إلى المطعم. الطلابُ ذَهَبُوا إلى المطعم.

(١) الطالب جَلَسَ في الفصل . ...

(٢) المدرس خَرَجَ من المدرسة . ...

(٣) التاجر ذَهَبَ إلى السوق . ...

(٥) اِقْــرأ واكتــب :

(١) الطلاب في الفصل .

(٢) من هؤلاء الأولاد؟ أهم أبناؤك؟ لا . هم أبناء أخي .

(٣) من هؤلاء النَّاس؟ هم حجاج من تُركيا .

(٤) أين التجار؟ ذهبوا إلى السوق .

(٥) من هؤلاء الرجال؟ هم ضيوف .

(٦) الفلاحون في الحُقُوْل وأبناؤهم في المدرسة .

(٧) أين الطلاب الجدد؟ بعضُهم في الفصل وبعضهم عند المدير.

(٨) أعمامي تجار كبار . (٩) هؤلاء إخوتي .

(١٠) أين أبناؤك ياعليّ؟ هم في الدكان .

(١١) الطلابُ الكِبار في الملعب والطلاب الصغار في الفصل .

(١٢) هؤلاء الفتية إخوة . أبوهم إمام هذا المسجد .

(١٣) هؤلاء الرجال فلاحون من قَرْيَتِي .

(١٤) أين الطلاب الجدد؟ أخَرَجُوا؟ نعم. خَرَجُوا وذهبوا إلى المكتبة.

(١٥) أهؤلاء الأطباء مسلمون؟ نعم. هم مسلمون.

(١٦) لي أبناء صغار. بعضهم في المدرسة الاِبْتِدَائِيَّة وبعضهم في المدرسة المُتَوَسِّطَة.

(٦) اكتب جمع الكلمات الآتية :

كبير .... مسلم .... رجل .... ابن ....

ضيف .... فتى .... حاجّ .... أخ ....

صغير .... طويل .... غنيّ .... فقير ....

الكلمات الجديدة :

الحَقْلُ ج: حُقُولٌ　　النَّاسُ　　القَرْيَةُ

الضَّيْفُ　　الشَّيْخُ　　المَطْعَمُ　　المدرسة الاِبْتِدَائِيَّةُ

«ب»

مَنْ هؤلاء الفَتَيات يامريمُ؟
هُنَّ زَمِيْـلَاتي .
أأَخـواتٌ هُــنَّ ؟
نعم هُــنَّ أَخَواتٌ .
من أبوهُــنَّ ؟
أبوهُـنَّ الشيْخُ بِلالٌ. أُمُّهُـنَّ أُسْتَاذَتِي .
أين بَيْتُهُــنَّ ؟
بَيْتُهُــنَّ قَرِيبٌ من المدرسةِ .

تَمَــارِيْنُ

(١) حوِّل المبتدأ في الجمل الآتية إلى جمع كما هو موضَّح في المثال :

مثال: هذه بنتٌ . هـٰؤُلاءِ بَنَاتٌ . (بَنَاتٌ)

(١) هذه طالبةٌ . ... (طالِبَاتٌ)

(٢) هذه مُدَرِّسةٌ . ... (مُدَرِّسَاتٌ)

(٣) هذه طبيبةٌ . ... (طَبِيْبَاتٌ)

(٤) هذه مُسْلِمَةٌ . ... (مُسْلِمَاتٌ)

(٥) هذه زَوْجَةٌ . ... (زَوْجَاتٌ)

(٦) هذه أُخْــتٌ . ... (أَخواتٌ)

(٧) هذه فَتَاةٌ . ... (فَتَيَـاتٌ)

(٨) هذه جديدةٌ . ... (جُــدُدٌ)

(٩) هذه كبيرةٌ . ... (كِبَـــارٌ)

(١٠) هذه صغيرةٌ . ... (صِغَـــارٌ)

(١١) هذه طويلةٌ . ... (طِوالٌ)

(٢) اِقــرأْ واكتــب :

(١) هؤلاء إِخْوَتِى وهؤلاء أَخَوَاتِى .

(٢) من هؤلاء الفتيات ؟ هؤلاء بنات المدرِّسة .

(٣) هؤلاء الفتيات زميلاتي . أبوهنّ طبيب وأمهن مدرِّسة .

(٤) أين الطالبات الجدد ؟ ذَهَبْنَ إلى المكتبة .

(٥) أين بناتك ياعمّتي ؟ هنّ في المطبخ .

(٦) أهؤلاء الممرّضات مسلمات ؟ نعم .

(٧) هؤلاء طبيبات . أزواجهن مدرســــــون .

(٨) من هذه المَرْأَةُ ؟ هي زَوْجَةُ الطبيب الجديد .

(٩) أبنــاتــك في المدرسة الثانويّة ياأسامة ؟ بعضهن في المدرسة

الثانويّة وبعضهن في المدرسة المتوسطة.

(١٠) ألك بنات ياليْلَى ؟ نعم لي بنات كبار. وهن طالبات بالجامعة.

(١١) من هؤلاء النِّساءُ الطوال ؟ هن طبيبات من أمريكا.

(١٢) الطبيبات خَرَجْنَ من المستشفى.

(٣) اِقرأ المثال ثم حَوّل الجمل الآتية مثلــه :

مثال: زينبُ خَرَجَتْ من الفصل. زينبُ وآمنةُ ومريم خَرَجْنَ من الفصل

(١) المدرّسة ذهَبَتْ إلى الفصل ....

(٢) الطالبة الجديدة جَلَسَتْ في الفصل ....

(٣) بنت محمد ذَهَبَتْ إلى المدرسة ....

(٤) أَشِرْ إلى الأسماء التالية بآسم إشارةٍ للقريب (هذا، هذه، هـٰؤلاء) :

(١) .... أخي (٢) .... أختي (٣) .... رجال

(٤) .... مدرسون (٥) .... طالبات (٦) .... أمي

(٧) .... أبي (٨) .... طالبة (٩) .... طبيبات

(١٠) .... تجار

(٥) ضع في الأماكن الخالية من الجمل الآتية ضميراً مناسباً (هُوَ، هِيَ، هُمْ، هُنَّ) :

(١) من هذا الرجل؟ .... مدرِّسنا.

(٢) أين الطالبات ؟ .... في الفصل.

(٣) من هؤلاء الفتية ؟ .... أبناء المدرس.

(٤) أين الطالبة الجديدة؟ .... في المكتبة.

(٥) من هؤلاء الناس؟ .... حجاج من الهند.

(٦) أين الطبيبات ؟ .... في مستشفى الولادة.

(٧) من هذا الولد الذي خرج من بيتك؟ .... ابن أخي.

(٨) من أين هؤلاء الضيوف ؟ .... من الرياض.

(٩) من أين هؤلاء الممرضات ؟ .... من الفلبِّيْن.

(١٠) من هذه الفتاة؟ .... بنت المدرسة.

(٦) هاتِ جمع الأسماء الآتيــة :

أخت	بنت	مسلمة	طبيبة ....
طبيب	زوج	زوجة	فتاة ....
كبيرة	طويلة	جديدة	أخ ....
كبير	جديد		

أَسْماءُ الإشــــارَة للقَرِيْبِ

هٰــذا طـالبٌ	هٰـؤُلاء طـلّابٌ
هٰــذِهِ طالبـةٌ	هٰـؤُلاءِ طالباتٌ

الكلمات الجديدة :

الزَوْجُ ج : أزواجٌ　　　　المَرْأَةُ ج : نِساءٌ

(المَرْأةُ : بدون الـ : اِمْرَأَةٌ)　　　　قَرِيْبٌ

« ج »

هؤلاءَ إخوتي وأُولـٰئِكَ أَصْدِقَائِي .

من أولـٰئِكَ الرجال الطوال ؟

هم أطبّاء من أمريكا .

من أولـٰئِكَ النِّساء ؟

هنّ أُمَّهات الطالبات .

آباءُ الطلاب عند المدير .

أأولـٰئِكَ النّساء خالاتك يامريم ؟

لا . هنّ عمـــاتي .

هؤلاء أطبّاء وأُولـٰئِكَ مهندسون .

هؤلاء الرجال فُقَراء وأُولـٰئِكَ أَغْنِيَاءُ .

أولـٰئِكَ الطلاب ضِعــافٌ .

من أولـئك الرجال ؟

هــــم وُزَراءُ .

تمـــارين

(١) حوّل المبتدأ في كلٍّ من الجمل الآتية إلى جمع ، مع تغيير مايلزم .

مثـال : ذلـك الـرجـل مدرس . أولـٰئِـكَ الـرِّجالُ مدرسونَ .

(١) من ذلك الفتي؟ ....

(٢) من أين ذلك المدرس؟ ....

(٣) تلك الفتاة بنت الطبيب . ...

(٤) هذا الطالب من إنكلترا وذلك من فرنسا . ...

(٥) أذلك المهندس مسلم؟ ....

(٦) هذه المرأة ممرِّضة وتلك طبيبة . ...

(٧) من هذا الولد الطويل؟ ....

(٨) تلك الفتاة الصغيرة أخت حامدٍ . ...

(٩) تلك المرأة أمّ الطالبة. ....

(١٠) ذلك الرجل عالم كبير مِن المَمْلَكة العرَبيَّةِ السَعُودِيَّة. ....

(٢) أَشِرْ إلى الأسماء الآتية بآسم إشارة للبعيد (ذلك، تلك، أولـئك):

(١) .... طالب. (٢) .... تجار.

(٣) .... مدرسات. (٤) .... طبيبة جديدة.

(٥) .... أُمَّهاتُ الطالبات. (٦) .... آباءُ الطلّاب.

(٧) .... فلّاح. (٨) .... أُمّ محمد.

(٩) .... صديقي. (١٠) .... أخواتي.

(١١) .... إِخوتي.

(٣) هات جمع الكلمات الآتيـــة:

أُمّ .... أب .... اِمْرَأَةٌ .... عَمّة ....

ضعيف .... وزير .... اِسْمٌ ....

(٤) اقــرأ واكتــب:

أَصْدِقَاءُ أغْنِياءُ أَقْوياءُ أَطِبَّاءُ

فُقَرَاءُ زُمَلَاءُ وُزَرَاءُ عُلَمَاءُ

أَسْماءُ الإشَارَةِ لِلْبَعِيــــدِ

	المفــــرد	الجمــع
المذكر	ذَالِكَ طالِبٌ	أُولـٰئِكَ طُــلّابٌ
المؤنث	تِلْكَ طالِبَةٌ	أُولـٰئِكَ طَالِبَاتٌ

محمدٌ ذَهَبَ .	محمدٌ وحامِدٌ وعَلِيٌ ذَهَبُوا .
مَرْيَمُ ذَهَبَتْ .	مَرْيَمُ وآمنةُ وفَاطِمةُ ذَهَبْنَ .

الكلمات الجديدة :

ضَعَيْفٌ ج ضِعافٌ   أُمٌّ ج : أمَّهاتٌ   أبٌ ج : آباءٌ

ضَعيفَةٌ   قَوِيٌّ ج : أَقْوِيَاءُ   عَالِمٌ ج : عُلَماءُ

(١٤) الدَّرْسُ الرَّابِعَ عَشَرَ

الفِتْيَـةُ : السَّـلامُ عَلَيْكُم .

حامـد : وعَلَيْكُم السَّلامُ ورحمةُ الله وَبَركاتُهُ .

أَحَدُ الْفِتَيةِ : كيف حالك ياعمي ؟

حامـد : أنا بخير والحمد لله . كيف حالُكم؟ مَنْ أَنْتُمْ؟

أحدُهم : نحن أبناءُ الدكتورِ موسى .

حامـد : أهـلاً وسهـلاً ومـرحبـاً . أبـوكم صديقي . . . أين عمّكم الشَيْخُ عِيْسَى؟

أحدُهم : هو مريض . هو الآن في المستشفى .

حامـد : شَفَاهُ الله . . . مَن هذه الطِفلة التي مَعَكم .

أحدهم : هي أختُنا .

حامـد : ما آسمُها ؟

أحدهم : اسمها ليلَى .

حامـد : أين بيتُكم الجديدُ؟

أحدهم : بيتنا الجديد قريب من المَطار .

حامـد : أأنتم في المدرسة الثانويّة؟

أحدهم : لا . نحنُ بالجامعة . أنا في كُلّيَّة الهَنْدَسَة ، ومحمودٌ في كُلّيَّة

الطِبِّ، وإبْراهِيْمُ في كُلِّيّة الشَرِيْعَةِ، ويُوْسُفُ في كُلِّيَّة التجارة.

حامـــد : مَن ذلك الفتى الذي في سيارتكم؟

محمـود : هو زميلي .

حامـــد : من أين هو؟

محمـود : هو من إنكلترّا .

حامـــد : ما ٱسمـــه؟

محمـود : اسمُه وِلْيَمُ .

حامـــد : أمسلم هـــو؟

محمـود : لا . هو نَصْرانِيٌّ. أبـوه أستـاذي. اسمـه الدُكْتُورُ إدْوَرْدُ.

(يهديهما الله إلىٰ الإسلام).

حامـــد : أَذَهَبْتُمْ إلى المستشفى لِزِيارَةِ عَمِّكم اليومَ؟

يوسـف : نعم. ذَهَبْنَـــا .

تَمَـــارِيْنُ

(١) أجب عن الأسئلة الآتية :

(١) من أنتم؟ (٢) أين بيتكم؟ (٣) من ربّكم

(٤) ما لغتكم؟ (٥) أين مدرستكم؟ (٦) أأنتم مسلمون؟

(٧) أفي بيتكم حديقة؟ (٨) أعندكم سيارة؟ (٩) أين مدرّسكم؟

(١٠) أأنتم مدرسون؟

(٢) اقــرأ واكتـــب :

(١) نحن مسلمــون. الله ربّنا والإسلام دِينُنا والنبي محمدٌ ﷺ رسولنا والقرآن الكريم كتابنا والكَعْبَة قِبْلَتُنا والعربية لُغَتُنا.

(٢) أين مدرسكم ياإخوانُ؟ خرج الآن من الفصل وذهب إلى المدير.

(٣) في أيّ شارع بيتكم؟ بيتنا في الشارع الذي أمام المَحْكَمَة.

(٤) أبونا صديقُ عمِّكم.

(٥) أأنتم مدرسون؟ لا. نحن أَطِبّاءُ.

(٦) أأنتم أبناء المدير؟ لا. نحن حَفَدَتُهُ.

(٧) مَدْرستُنا كبيرة ومدرستكم صغيرة.

(٨) لنا حديقة جميلة في تلك القرية.

(٩) أخونا طالب في كلية الطب.

(١٠) أأنتم أطبّاء؟ بعضُنا أطبّاء وبعضنا مهندسون.

(١١) الله ربنا وربكم.

(١٢) أين ذهبتم ياإخوان ؟ ذَهَبْنا إلى السوق .

(٣) أَضِف الأسماء الآتية إلى الضمائر كما هو موضح في المثال :

بيتٌ	بَيْتُكُم بَيْتُنا	أمٌّ ....
عــمٌّ	....	صديقٌ ....
مدرسةٌ	....	أخــتٌ ....
لغــةٌ	....	ديــنٌ ....
أبٌ	....	أخٌ ....

(٤) اِقـــرأ :

أَيُّ يومٍ هذا؟	هذا يَوْمُ السَّبْتِ .
أَيُّ شَهْرٍ هذا؟	هذا شَهْرُ رَجَبٍ .
أَيُّ كُلِّيَّةٍ هذِهِ؟	هذه كليّة التِجارةِ .
في أَيِّ مدرسةٍ أنتَ؟	أنا في المدرسة المتوسّطةِ
من أيّ بلَدٍ أنت ياأُخت؟	أنا من اليُونَان .

(٥) اِقــرأْ واكتــب :

وِلْيَمُ . إدْوَرْدُ . لَنْدَنُ . بارِيْسُ . باكِسْتَانُ . إصْطَنْبُولُ . إبْراهِيْمُ . إسْماعِيْلُ . إسْحـٰقُ . يَعْقُوبُ . أَيُّوبُ . سُلَيْمانُ . دَاوُدُ . يُونُسُ . إِدْرِيسُ . جِبْرَئِيلُ . مِيْكَائِيل . فِرْعَوْنُ .

(٦) اقرأ المثال ثم حول الجمل الآتية مثله :

أنت ذَهَبْتَ إلى المدرسة .	أنتمُ ذَهَبْتُمْ إلى المدرسة .
أنت خَرَجْتَ من الفصل .	.... من الفصل .
أنت جَلَسْتَ في الفصل .	.... في الفصل .
أين ذَهَبْتَ ياأَخي ؟	.... ياإِخْواني؟
لماذا خَرَجْتَ من الفصل ياوَلَدُ؟	.... ياأولادُ؟

الكلمات الجديدة :

الحَفِيْدُ : اِبْنُ الاِبْنِ أَوِ ابْنُ الْبِنْتِ. ج حَفَدَةٌ

الكُلِّيَّةُ ج كُلِّيّات	كُلِّيَّةُ الطِّبِّ
كُلِّيَّةُ الشَرِيْعَةِ	كُلِّيَّةُ الهَنْدَسَةِ
كلّيّةُ التجَارةِ	المحكمة
الأَخُ ج إِخْوةٌ وإِخْوانٌ	
أَهْلاً وسَهْلاً ومَرْحَباً	اليُوْنَانُ
نَصْرانِيٌّ ج نَصارَى	البَلَدُ ج بِلادٌ

(١٥) الدَّرْسُ الْخَامِسَ عشَرَ

الفَتَيات : السلام عليكم ورحمة الله وبركاته .

زينبُ : وعليكم السلام ورحمة الله وبركاته... من أَنْتُنَّ ياأَخَواتُ؟

إحْداهُنَّ : نَحْنُ بناتُ الشيخِ عبّاسٍ .

زينب : أهلاً وسهلاً ومرحباً. أُمُّكُنَّ أُستاذتي. كَيْفَ حالُها؟

إحْداهُنَّ : هي بخير والحمد لله .

زينب : أين هي الآن ؟

إحداهنّ : هي الآن في الرِّياض.

زينب : مَتَى ذَهَبَتْ ؟

إحداهنّ : ذهبت قَبْلَ أُسْبوعٍ .

زينب : من ذهَب مَعَها ؟

إحداهنّ : ذهب معها أخونا إبراهيمُ .

زينب : كيف حالُكُنَّ؟

إحداهنّ : نحن بخير والحمد لله .

زينب : في أيِّ مدرسةٍ أنتُنَّ ؟

إحداهنّ : نحن في المدرسة المتوسطة .

زينب : متى آخْتِبَارُكُنَّ ؟

إحداهن : اِخْتِبَارُنا بَعْدَ شَهْرٍ .

زينب : أَذَهَبْتُنَّ إلى المدرسة اليوم ؟

إحداهنّ : نعم. ذَهَبْنَا ورَجَعْنَا .

تمـــارين

(١) أَجِبْ عن الأسئلة الآتيـــة :

(١) من أنتنّ ؟ (٢) أين أمّكنّ ؟

(٣) أين بيتكنّ ؟ (٤) أين أخوكنّ ؟

(٥) أين مدرستكنّ ؟ (٦) أذهبتنّ إلى المدرسة اليوم ؟

(٢) أَنِّثْ المبتدأ في كل من الجمل الآتية :

مثال: أأنتم طلابٌ ؟ أأنتنّ طالباتٌ ؟

(١) أأنتم مدرسون ؟ ....

(٢) أأنتم أطبّاء ؟ ....

(٣) أأنتم إِخْوَةُ حامدٍ؟ ....

(٤) أأنتم مسلمون ؟ ....

(٥) أأنتم أعمامُ محمودٍ؟ ....

(٦) أأنتم أبناءُ المديرِ؟ ....

(٧) أأنتم آباءُ الطلابِ؟ ....

(٣) حوِّل الضمير في كل من الجمل الآتية كما هو موضّح في المثال :

مثال: أين بيتُكم ياإخوان؟ أين بيتُكنَّ ياأخوات؟

(١) أين أخوكم ياإخوان؟ ....

(٢) أين مدْرستكم ياإخوان؟ ....

(٣) متى ٱختباركم ياإخوان؟ ....

(٤) أهذا عمّكم ياإخوان؟ ....

(٥) أبيتكم قريب ياإخوان؟ ....

(٦) في أيِّ شَهْرٍ ٱختبارُكم ياإخوان؟

(٤) ضَعْ في الأماكن الخالية فيما يلي ضميراً مناسباً للمخاطب (أنتَ ، أنتم ، أنتِ ، أنتنّ) :

(١) أ .... مسلم؟ (٢) أ .... مريضة؟ (٣) أ .... طبيبات؟

(٤) أ .... تجّار؟ (٥) أ .... بنت المدرس؟ (٦) أ .... أخوات عباس؟

(٧) أ .... طلاب؟

(٥) ضَعْ في الأمكنة الخالية في الجمل الآتية ضميراً متصلاً للمخاطب (كَ . كُمْ . كِ . كُنَّ) :

(١) أين بيتـ .... ياإخوان؟ (٢) أهذا كتابـ .... ياحامد؟

(٣) ساعتـ .... جميلة ياليلى؟ (٤) من أبو .... ياأخوات؟

(٥) ما ٱسمـ .... ياأخي؟ (٦) ما ٱسمـ .... ياأختي؟

(٧) أأمّـ .... في البيت؟ (٨) ما أسماؤ .... ياإخوان؟

(٦) ضع في الأماكن الخالية فيما يلي ضميراً مناسباً للمتكلم (أنا، نحن) :

(١) .... مسلم . (٢) .... مسلمون . (٣) .... مسلمة .

(٤) .... مسلمات . (٥) .... بنات المدير . (٦) .... ابن المدرس .

(٧) .... طلاب . (٨) .... مريضة .

(٧) اِقرأ واكتـــب :

(١) ذهب أبي إلى القاهرة قَبْلَ أُسْبُوعٍ .

(٢) متى خرجت من الفصل يامحمد؟ خرجت بَعْدَ الدَرْسِ .

(٣) ذهبت إلى المسجد قَبْلَ الأَذانِ .

(٤) متى ذهبَ عمُّكِ إلى الرياضِ ياآمنةُ؟ ذهب قَبْلَ شَهْرٍ.

(٥) أَقَبْلَ الصَّلاةِ ذَهَبْتَ إلَى المَطْعَمِ ؟ لا . ذهبت بَعْدَ الصلاة .

أين ذَهَبْتَ ياأخي؟	أين ذَهَبْتُمْ ياإخواني؟
أين ذَهَبْتِ ياأختي؟	أين ذَهَبْتُنَّ ياأَخواتي؟
أنــا ذَهَبْتُ	نحن ذَهَبْنَــا

الكلمات الجديدة :

قَبْلَ بَعْدَ كَيْفَ مَتَى الأَسْبُوعُ

الشَهْرُ الأَذَانُ الصَّلاَةُ رَجَعَ اخْتِبَارٌ

الضمـائر المنفصلـة

للمفــــرد	للجمــــع
هُــوَ طالــبٌ .	هُــمْ طــلاّبٌ .
هِــيَ طالبــةٌ .	هُــنَّ طالبــاتٌ .
أَنْــتَ طالــبٌ .	أَنْــتُمْ طــلابٌ .
أَنْــتِ طالبــةٌ .	أَنْــتُنَّ طالبــاتٌ .
أَنَــا طالــبٌ .	نَحْــنُ طــلابٌ .
أَنَــا طالبــةٌ .	نَحْــنُ طالبــاتٌ .

(١٦) الدَّرْسُ السَّادِسَ عَشَرَ

المدرس : لِمَنْ هذه الأَقْلامُ يامحمـــد؟

محمـــد : هِيَ لي ياأســـــتاذ .

المدرس : هي جميلة جداً . . . وهذه الكُتُبُ الجديدة أهي لك؟

محمـــد : لا . هي لحامــــدٍ .

المدرس : أين دَفَاتِرُكُم ياإخـــوان ؟

علـــيّ : هي هُنا على هذا المكتـــبِ .

تمـــارين

(١) تَأَمَّلْ الأمثلة الآتيـــة :

(أ) المفرد : هــذا طالب جديد . هــو من بلجيكا .
الجمع : هـٰؤلاء طلّاب جُدُدٌ . هُمْ من بلجيكا .

(ب) المفرد : هــذا كتاب جديد . هــو من بلجيكا .
الجمع : هذه كُتُبٌ جديدةٌ . هي من بلجيكا .

(٢) حوِّل المبتدأ في كل من الجمل الآتية إلى جمع :

مثال : هذا بَيْتٌ. هذه بُيُـــوْتٌ .

(١) هــذا نَجْــمٌ .... (نُجُوْمٌ) .

(٢) هــذا دَرْسٌ . ... (دُرُوْسٌ) .

(٣) هــذا قَــلَمٌ . ... (أَقْلَامٌ) .

(٤) هــذا بَابٌ .... (أَبْوابٌ) .

(٥) هــذا نَهْــرٌ .... (أَنْهــارٌ) .

(٦) هــذا جَبَلٌ . ... (جِبَالٌ) .

(٧) هــذا كَلْبٌ . ... (كِلَابٌ) .

(٨) هــذا بَحْــرٌ. .... (بحَــارٌ) .

(٩) هــذا كِتَــابٌ . ... (كُتُبٌ) .

(١٠) هــذا حِمَــارٌ. .... (حُـمُـرٌ) .

(١١) هــذا سَرِيْرٌ. .... (سُـرُرٌ) .

(١٢) هــذا دَفْتَرٌ. .... (دَفاتِرُ) .

(١٣) هــذا مَكْتَبٌ . ... (مَكَاتِبُ) .

(١٤) هــذا فُنْدُقٌ .... (فَنَادِقُ) .

(١٥) هــذه سَاعَةٌ . ... (سَاعَاتٌ) .

(١٦) هـــذه سَيَّارَةٌ . ... (سَيَّاراتٌ) .

(١٧) هـــذه طَائِرَةٌ . ... (طَائِراتٌ) .

(١٨) ذلك نجـــم . ... (. . . . . . .) .

(١٩) تلك سيّارة . ... (. . . . . . .) .

(٣) أَشِرْ إلى الأسماء الآتية باسم إشارة مناسب للقريب (هذا ، هذه ، هؤلاء) :

(١) .... رَجُل . (٢) .... رجال . (٣) .... كلب .

(٤) .... كِلاب . (٥) .... دروس . (٦) .... مدرسون .

(٧) .... أخواتى . (٨) .... أقلام . (٩) .... كتاب .

(١٠) .... سيّارات . (١١) .... سيّارة . (١٢) .... حمار .

(١٣) .... كتب . (١٤) .... حُمُر . (١٥) .... عين .

(١٦) .... طبيبة . (١٧) .... طبيبات .

(٤) أَشِرْ إلى الأسماء الآتية بٱسم إشارة مناسب للبعيد (ذلك ، تلك ، أولئك) :

(١) .... طالب . (٢) .... طلاب . (٣) .... نجم .

(٤) .... نجوم . (٥) .... بِنت . (٦) .... بَنات .

(٧) .... درّاجة . (٨) .... درّاجات . (٩) .... سرير .

(١٠) .... سُرُر. (١١) .... دجاجة. (١٢) ..... مدرِّسة.
(١٣) مدرّسات. (١٤) .... حاجّ. (١٥) ..... حجّاج.
(١٦) ..... مسجد. (١٧) ..... سيارات.

(١) أسماء الإشارة للقريب

العاقل

هذا طالبٌ	هؤلاءِ طُلّابٌ
هذه طالبةٌ	هؤلاءِ طالباتٌ

(٢) أسماء الإشارة للبعيد

العاقل

ذلك طالبٌ	أولئكَ طُلّابٌ
تلك طالبةٌ	أولئكَ طالِبَاتٌ

(٣) أسماء الإشارة للقريب

غير العاقل

هذا بَيْتٌ	هذه بُيُوتٌ
هذه سيّارةٌ	هذه سياراتٌ

(٤) أسماء الإشارة للبعيد

غير العاقل

ذلك بَيْتٌ	تِلْكَ بُيُوتٌ
تِلْكَ سيّارة	تِلْكَ سيّاراتٌ

(١٧) الدَّرْسُ السَّابِعَ عشَرَ

(١) أبوابُ المسجدِ مفتوحةٌ .

(٢) لمن هذه البيوت الجديدة؟ هي لمدير الشَرِكَةِ .

(٣) النجوم جميلة .

(٤) هذه الدروس سَهْلَة .

(٥) في الهند لُغات كثيرة .

(٦) أين الكتب الجديدة؟ هي في المكتبة .

(٧) تلك السُّرُرُ مكسورة .

(٨) الساعة اليابانية رَخِيْصَة .

(٩) هذه الحُمُرُ (الحَمِيْرُ) للفلّاح .

(١٠) أين كُتُبُكُنَّ ياأخوات ؟ هي في الفصل .

(١١) هذه كتبي وتلك كُتُبُ أختي .

(١٢) هذه مكاتب الطلاب .

(١٣) في هذا الشارع فنادقُ كبيرةٌ .

تَمَــــارِيْنُ

(١) أجب عن الأسئلة الآتيـــة :

(١) أين الكتب الجديدة؟ (٢) لمن هذه البيوت الكبيرة؟

(٣) أأبواب السيارة مفتوحة؟ (٤) أين أقلام المدرس؟

(٥) أين الكلاب؟ (٦) أين الحمير؟

(٧) أين كتبك يامريم؟ (٨) أين دفاتر الطلاب؟

(٩) أين الفنادق الصغيرة؟ (١٠) لمن هذه الأقلام الجديدة؟

(٢) حوّل المبتدأ في كل من الجمل الآتية إلى جمع :

مثال: الباب مفتوحٌ. الأبواب مفتوحةٌ.

(١) هذا قلم جديد.

(٢) النجم جميل.

(٣) ذلك كتاب قديم.

(٤) ذلك البيت جميل.

(٥) هذا الدرس سهل.

(٦) ذلك الجبل بعيد.

(٧) هذا المكتب مكسور. ....

(٨) هذا مسجد جميل . ...

(٩) هذه ساعة رخيصة . ...

(١٠) تلك الطائرة كبيرة . ...

(١١) هذا طالب جديد . ...

(١٢) ذلك الرجل عالِمٌ كبير. ....

(١٣) هذا النهر كبير. ....

(٣) ضع في الأماكن الخالية فيما يلي أخباراً مناسبة :

(١) البيت .... (٢) النجوم ....

(٣) الباب .... (٤) القلم ....

(٥) البيوت .... (٦) الأبواب ....

(٧) السيّارات .... (٨) المنديل ....

(٩) الفنادق .... (١٠) الطلاب ....

(١١) القُمْصَانُ ....

(٤) هات جمع الكلمات الآتيـــة :

باب .... بيت .... نجم .... قلم

حمار .... سرير .... نهر .... سيّارة

كلب .... طائرة .... درس .... بحر ....

كتاب .... قميص .... درّاجة .... حَقْل ....

جبـل ....

الكلمات الجديدة :

الشَرِكَةُ ج شَرِكَاتٌ	مـــديرُ الشَرِكَةِ
رَخِيْـــصٌ	القَمِيّصُ ج قُمْصَانٌ

(١٨) الدرسُ الثَّامِنَ عَشَرَ

المدرس : كم أخــاً لك يامحمد؟

محمــد : لي أخٌ واحـــدٌ .

المدرس : وكم أختــاً لك ؟

محمــد : لي أختـــانِ .

المدرس : كم عَجَلَةً للدرّاجة ياحامـد؟

حامــد : لها عَجَلتـــانِ .

المدرس : كم عِيداً في السَّنَةِ يازكَرِيّا ؟

زكريّــا : في السّنة عِيدانِ : هُما عِيدُ الفِطْرِ وعِيدُ الأَضْحىٰ.

المدرس : ياإبراهيم، أبوك تاجر كبير. كم متجراً عنده؟

إبراهيم : عنده متجرانِ كبيرانِ.

المدرس : كم نافذةً في غرفتك ياإسماعيل؟

إسماعيل : فيها نافذتانِ .

المدرس : لِمَنْ هذانِ الدفترانِ ؟

عَلِــيٌّ : هُمَــا لِـــي .

المدرس : لمن هاتانِ المِسْطَرتَانِ ؟

يــونس : هُمَا لي .

تَمَــــارِيْنُ

(١) أجِبْ عن الأسئلة الآتية مستعملاً المثنى :

(١) كم قلماً عندك؟ (٢) كم كتاباً عندك؟

(٣) كم سَبّورةً في فصلكم؟ (٤) كم ريالاً عندك الآن ياليلى؟

(٥) كم أختاً لك ياعليّ؟ (٦) كم عمًّا لك ياآمنة؟

(٧) كم صديقاً لك يامحمد؟ (٨) كم طالباً جديداً في فصلكم؟

(٩) كم مسجداً في قريتك يازكريّا؟ (١٠) كم فندقاً في هذا الشارع؟

(١١) كم أخاً لك ياسعاد؟ (الأخ مُثَنَّاةُ : أخَوانِ)

(٢) اقــرأ واكتب :

(١) خالد له ابنان وبنتان .

(٢) في هذا البيت غرفتان كبيرتان .

(٣) فاطمة لها طفلان صغيران .

(٤) لي عَيْنان وأُذنان ويدان ورِجْلان .

(٥) في هذا الحَيّ مَدْرستان .

(٦) صلاة الفَجْر ركْعتان .

(٧) للبيت مفتاحان .

(٨) لمن هاتان البقرتان؟ هما للفلّاح .

(٩) أهذان الطبيبان من إنكلترا؟ لا . هما من فرنسا .

(١٠) في قريتي مسجدان صغيران .

(٣) اقرأ الأمثلة الآتية ثم ضع في الفراغ فيما يلي تمييزاً لـ(كم) واضبط آخره :

كم أختاً لك؟ كم قَلَماً عندك؟ كم سيّارةً في الجامعة؟

(١) كم .... عندك؟ (٢) كم .... لك؟ (٣) كم ...... في هذا الشارع؟

(٤) كم ...... في قريتك؟ (٥) كم ...... في فصلكم؟ (٦) كم .... في السنة؟

(٧) كم .... للدراجة؟ (٨) كم ...... في غرفتك؟

(٤) حوّل المبتدأ في كل من الجمل الآتية إلى مثنّى :

مثال : هــذا كتاب . هــذان كتابــان .

(١) هــذا قلــم . ...

(٢) هــذه مِسْطَــرة . هاتان ....

(٣) هــذا طــالب . ...

(٤) هــذه طالبـة . ...

(٥) هذا الرجل مدرس . ...

(٦) هذا الطالب من الهند . ...

(٧) هذه الساعة من اليابان . ...

(٨) هذه السيارة للمدير. ....

(٩) لمن هذا المفتاح؟ ....

(١٠) لمن هذه الملعقة؟ ....

(٥) اقرأ الكلمات الآتية واكتبها مع ضبط أواخرها :

كلبـان . مكتبـان . قميصـان . أَخَوان . منديلان . مسطرتان . أختان . امْرَأَتَان .

(٦) ثَــنِّ الكلمات الآتيــة :

سيارة .... طبيبة .... ولـد ....

لغـة .... صديق .... تاجر ....

ملعقة .... مدرس .... بـاب ....

اسم .... هــذا .... هــذه ....

الكلمات الجديدة :

كَمْ العِيْدُ	العَجَلَةُ ج عَجَلاتٌ
الحَيُّ ج أَحْياءٌ	الرِّيالُ ج رِيالاتٌ
الرَّكْعَةُ ج رَكَعاتٌ	المِسْطَرَةُ ج مَساطِرُ

(١٩) الدَّرْسُ التَّاسِعَ عشَرَ

المديـر : كم طالباً جديداً في فصلك ياشيخُ؟

المدرس : فِيـهِ عَشَـرَةُ طـلابٍ جُـدُدٍ .

المديـر : من أين هم؟ أكُلُّهم من بَلَد واحدٍ .

المدرس : لا . هم من بِلاد مُخْتَلِفَةٍ . منهُمْ ثَلاثَةُ طلّابٍ من الفِلبيّن، وأَرْبَعَةُ طلّابٍ من اليابان، وطالبانِ من الصّين، وطالبٌ واحدٌ من مَالِيْزيا .

المديـر : أفي فصلك طلّابٌ من أَمْريكا؟

المدرس : نعم . فِيهِ سَبْعَةُ طلابٍ من أمريكا .

المديـر : أهم جـدد ؟

المدرس : لا . هم قُدَامَى .

المديـر : كم طالباً فيه من أُورُبَّا ؟

المدرس : فيه خَمْسَةُ طلابٍ من إنكلترّا، وثَمانِيَةُ طلابٍ من أَلمانِيا، وسِتَّةُ طلابٍ من فَرَنْسَا، وتِسْعَةُ طلابٍ من اليونان .

المديـر : شُكْراً ياشَيخُ .

تَمَارِيْنُ

(١) اقرأ واكتب :

(٣) ثَلاثَةُ طلّابٍ .

(٤) أَرْبَعَةُ طلّابٍ .

(٥) خَمْسَةُ طلّابٍ .

(٦) سِتَّةُ طلّابٍ .

(٧) سَبْعَةُ طلّابٍ .

(٨) ثَمانِيَةُ طلّابٍ .

(٩) تِسْعَةُ طلّابٍ .

(١٠) عَشَرَةُ طلّابٍ .

(٢) اقرأ وأكتب :

(١) عندي خمسة كتب وثلاثة أقلام .

(٢) خالد له ستّة أبناء .

(٣) كم أخاً لك ياآمنة؟ لي أربعة إخوة .

(٤) في الأسبوع سبعة أيّام .

(٥) كم ريالاً عندك الآن ياعمّار؟ عندي الآن ثمانية ريالات .

(٦) في هذا الحيّ تسعة بيوت جديدة .

(٧) لهذه السيارة أربعة أبواب .

(٨) كم ثَمَنُ هذا الكتابِ؟ ثمنه سبعة ريالات ونِصفٌ .

(٩) في هذا الفصل عشرة طلاب قُدامَى وأربعة طلاب جدد .

(١٠) كم قميصاً عندك ياإبراهيم؟ عندي أربعة قمصان .

(١١) عندي ريـــالان وخمســـة قُـــرُوشٍ .

(١٢) في هذه الحافِلَـــة عشـــرة رُكّـــاب .

(٣) أجِبْ عن الأسئلة الآتية مستعملاً العدد المذكور بين القوسين :

مثال: كم كتاباً عندك؟ عنـــدي ثلاثـــة كتبٍ. (٣)

(١) كم أخاً لك ياحامد؟ .... (٥)

(٢) كم عمًّا لك ياليلى؟ .... (٤)

(٣) كَم ٱبناً لك ياشيخ؟ .... (٦)

(٤) كم سُؤَالاً في هذا الدرس؟ .... (٨)

(٥) كم راكِباً في الحافلة؟ .... (٩)

(٦) كم ريالاً في جَيْبك؟ .... (٧)

(٧) كم ثَمَنُ هذا الكتاب؟ .... (١٠)

(٤) اكتب الأعـداد من ٣ إلى ١٠ وٱجْعل كلاً من الكلمات الآتية معدوداً لها :

كتاب . قلم . تاجر. رجل . طالب . ريال . قرش . أخ . آبن .

الكلمات الجديدة :

الثَّمَنُ نِصْفٌ

الرِّيالُ ج رِيالاتٌ

الحَافِلَةُ ج حافِلاتٌ

السُّؤالُ ج أَسْئِلَةٌ

البَلَـدُ ج بِـلادٌ

أُورُبَّا

فَرَنْسَا

مُخْتَلِفَةٌ

اليَـوْمُ ج أَيَّامٌ

القِرْشُ ج قُرُوشٌ

رَاكِـبٌ ج رُكَّابٌ

قَـدِيْمٌ ج قُدَامَىٰ

الجَيْبُ ج جُيُوبٌ

أَلمانِـيَا

اليونـان

مَالِيْزِيا

(٢٠) الدَّرْسُ الْعِشْرُونَ

ليـلـى : ياسَلْمىَ، أفي فصلكِ طالبات من الصِّين واليابان؟

سلمى : نعم. في فصلنا خَمْسُ طالباتٍ من الصين وأَرْبَعُ طالباتٍ من اليابان، وثَماني طالباتٍ من إنْدُونِيسِيَا.

ليـلـى : وفي فصلنـا ثَلَاثُ طالبات من الهند، وسِتُّ طالبات من الفلبّين، وسَبْعُ طالباتٍ من تركيا.

سلمى : كم أختاً لكِ ياليلى ؟

ليـلـى : لي ثلاثُ أَخَــــواتٍ .

سلمى : وكم أخــــــاً لكِ ؟

ليـلـى : لي خَمْسَةُ إِخــــوةٍ .

سلمى : لكِ ثلاثُ أخواتٍ وخمسةُ إخوةٍ .

ليـلـى : نعم... وكم أخاً وأُختاً لك ؟

سلمى : لي أربعةُ إخوةٍ وأَرْبَعُ أَخَواتٍ .

ليـلـى : لي زميلة اسمها خديجة. لها ثمانيةُ إخوةٍ وثَمانيْ أَخَواتٍ.

تَمَــــارِيْنُ

(١) اقــرأ واكتــب :

(٣) ثَلَاثُ طالباتٍ .

(٤) أَرْبَعُ طالباتٍ .

(٥) خَمْسُ طالباتٍ .

(٦) سِتُّ طالباتٍ .

(٧) سَبْعُ طالباتٍ .

(٨) ثَمانِيْ طالباتٍ .

(٩) تِسْعُ طالباتٍ .

(١٠) عَشْرُ طالباتٍ .

(٢) اقــرأ واكتــب :

(١) في بيتنا ثلاثُ غُــــرَفٍ .

(٢) في الجامعة عَشْرُ حافــــلاتٍ .

(٣) في هذه المدْرسة ثماني مدرّســـاتٍ .

(٤) عبّاس له سَبْعُ بنـــــاتٍ .

(٥) في بيتنا تِسْعُ دَجَاجَـــاتٍ .

(٦) في الجامعة خَمْسُ كُلِّيَّـــــاتٍ .

(٧) في المستشفى عَشْرُ طبيباتٍ وأربعُ ممرّضاتٍ .

(٨) خالدٌ له ثلاثةُ أبناءٍ وأربعُ بناتٍ .

(٩) لي خمسةُ إخوةٍ وستّ أَخَـــواتٍ .

(١٠) في هذا الكتاب عَشَـــرَةُ دروسٍ .

(١١) لنا أربعةُ أعمام وخمسُ عمّـــــاتٍ .

(١٢) في بلدي خمسُ جـــامعـاتٍ .

(١٣) في ذلك الدرس ثَمانِي كَلِماتٍ جديدة .

(١٤) عندي ثلاثُ مَجَــــــلّات .

(٣) أجب عن الأسئلة الآتية مستعملاً العدد المذكور بين قوسين :

(١) كم أخاً لك ؟ .... (٦)

(٢) كم أختاً لك ؟ .... (٥)

(٣) كم بقرة في الحقل؟ .... (١٠)

(٤) كم طالبة جديدة في الفصل؟ .... (٩)

(٥) كم طبيبة في مستشفى الولادة؟ .... (٨)

(٦) كم حافلة في الجامعة؟ .... (٦)

(٧) كم آبنـــاً لك؟ .... (٤)

(٨) كم بنتاً لك ؟ .... (٧)

(٩) كم جامعة في بلدك؟ .... (٣)

(١٠) كم كتاباً عندك ؟ .... (٨)

(٤) اقرأ الجمل الآتية واكتبها مع كتابة الأعداد الواردة فيها بالحروف :

(١) لي ٤ إخوة و٣ أخوات .

(٢) محمد له ٥ أبناء و٨ بنات .

(٣) عندي ١٠ كتب و٧ مجلّات .

(٤) في المستشفى ٩ طبيبات و٦ ممرّضات .

(٥) عندي ٤ قمصان .

(٦) لهذه السيارة ٤ أبواب .

(٧) في هذه الكَلِمة ٥ حروف .

(٨) في مدْرستنا ٨ مدرِّسات .

(٩) في بيتنا ١٠ رجال و١٠ نساء .

(١٠) ذهب أبي إلى الرياض قبل ٣ أيام .

(٥) اكتب الأعـداد من ٣ إلى ١٠ وٱجعل كلاً من الكلمات الآتية معدوداً له :

سيارة . أخت . طالبة . مجلّة . بنت . ساعة .

الكلمات الجديدة :

المَجَلَّـةُ ج مَجَلَّاتٌ	إِنْدُونِيْسِيَا
الحَرْفُ ج حُرُوفٌ	الكَلِمَةُ ج كَلِمَاتٌ

(٢١) الدَّرْسُ الْحَادِي والعِشْرُونَ

مدرسـتي

هذه مدرستي. هي قريبـة من المسجد. هي مدرسة كبيرة لها ثلاثة أبواب. أبوابها مفتوحة الآن.

في المدرسة فصول كثيرة. هذا فصلنا. وهو فصل واسع. فيه نافـذتان كبيرتان. وفيه مَكاتِبُ وكَراسِيُّ. وفيه سَبّورةٌ كبيرة. هذا مكتب المـدرس وذاك كرسيُّه. وتلك مكاتب الطلاب وكراسيُّهم. مكتبُ المدرسِ كبير ومكاتب الطلاب صغيرة.

في فصلنا عشرةُ طلابٍ. وهم من بلاد مُخْتَلِفَة. هذا محمد وهو من اليابان. وهذا خالد وهو من الصين. وهذا أحمدُ وهو من الهند. وهذا إبراهيم وهو من غانا. وهذا إسماعيل وهو من نَيْجِيريا. وهذا يوسفُ وهو من إنكلترا. وهذا بَيْرَمُ وهو من تُرْكِيا. وهذا عمّار وهو من ماليزيا. وهذا عليّ وهو من أمريكا. وهذا أبوبَكْرٍ وهو من اليونان.

هم من بلاد مختلفـة، ولغاتُهم مختلفةٌ وأَلْوانُهم مختلفة. ولكن

دينُهم واحـدٌ. وربّهم واحد. ونبيّهم واحد. وقبلتهم واحدة. هم مسلمون. والمسلمون إخوة.

هذا مدرّسنا. اسمه الشيخ بِلالٌ. وهو من المدينة. وهو رجل صالح. نحن نُحِبُّهُ كثيراً.

تمـــارين

(١) أجب عن الأسئلة الآتية :

(١) أين هذه المدرسة؟ (٢) كم باباً لها؟

(٣) أمُغْلَقةٌ أبوابها الآن أمْ مفتوحة؟ (٤) كم نافذةً في هذا الفصل؟

(٥) كم طالباً في هذا الفصل؟ (٦) أكلّهم من بلد واحد؟

(٧) من أين أبوبكر؟ (٨) من أين أحمد؟

(٩) من أين يوسف؟ (١٠) من أين محمد؟

(١١) من مدرسهم ؟ (١٢) من أين هــو؟

(٢) ضَعْ هذه العَلامة (√) أمام الجمل الصحيحة، وهذه العَلامة (×) أمام الجمل التي ليست صحيحة :

(١) مدرستي قريبة من المطار. (٢) لها ثلاثة أبواب.

(٣) أبوابها مغلقة الآن. (٤) مكاتب الطلاب كبيرة.

(٥) مكتب المدرس كبير (٦) في فصلنا عشرة طلاب.

(٧) عمّار من اليونان . (٨) بيرم من تركيا .

(٩) يوسف من ماليزيا . (١٠) مدرسنا من المدينة .

(٣) اذكر البلاد الواردة في الدرس من آسِيَا وإفْرِيْقِيَا أُورُبَّا :

البلاد التي في آسِيَا	البلاد التي في إفْرِيقِيَا	البلاد التي في أُورُبَّا

الكلمات الجديدة :

الْمَكْتَبُ ج مَكاتِبُ الكُرْسِيُّ ج كَراسِيُّ

اللَّوْنُ ج أَلْوانٌ القِبْلَةُ ذاك : ذلك

وَلكِنْ

(٢٢) الدَّرْسُ الثَّاني والْعِشْرُونَ

حامدٌ طبيبٌ. زوجته مدرِّسةٌ. اسمها آمنةُ. حامدٌ له أربعةُ أبناءٍ. هم: حمزةُ وعثمانُ وأحمدُ وإبراهيمُ. أحمدُ وحمزةُ طالبان. أحمدُ طالبٌ مجتهدٌ وحمزةُ طالبٌ كسلانُ.

قال يوسفُ: عندي خمسةُ أقلام: هذا قلمٌ أَحْمَرُ، وهذا قلمٌ أَزْرَقُ، وهذا قلمٌ أَخْضَرُ، وهذا قلمٌ أَسْوَدُ، وهذا قلمٌ أصفرُ.

قَالَتْ زينبُ: عندي مَنادِيلُ كثيرةٌ. هذا أَبْيَضُ، وهذا أَصْفَرُ، وهذا أَحْمَرُ، وهذا أَزْرَقُ.

قالتْ لها فاطمةُ: أعندكِ مِنديلٌ أخضر؟

قالت: لا. ما عندي منديلٌ أخضر.

قال طَلْحَةُ: عندي مَفاتيحُ كثيرةٌ. هذا مِفتاحُ الغرفةِ، وهذا مفتاحُ الحقيبةِ، وهذا مفتاحُ السيّارة.

قال سُفْيانُ: في بلدنا مَساجِدُ ومَدارِسُ كثيرةٌ، وفَنادِقُ قليلةٌ.

أهؤلاء أَطِبّاءُ؟

لا. هم مدرسونَ. وهُمْ عُلَماءُ كِبارٌ.

المَمْنُوعُ مِنَ الصَّـــرْفِ

الأَنْواعُ الآتية من الأسماءِ ممنوعةٌ من الصرف :

(١) زينبُ. مريمُ. فاطمةُ. عائشةُ. مكّةُ. جُدَّةُ.

(٢) حمزةُ. أُسامَةُ. مُعاوِيَةُ. طَلْحَةُ.

(٣) (أ) عُثمانُ. عَفّانُ. سُفْيانُ. مَرْوانُ. نُعْمانُ.

(ب) كَسْلانُ. جَوْعانُ. عَطْشانُ. شَبْعانُ. مَـلآنُ.

(٤) (أ) أحمدُ، أَنْورُ. أكْبَرُ. أَسْعَـدُ.

(ب) أَبيضُ. أسودُ. أحمرُ. أصفرُ. أخضرُ. أزرقُ.

(٥) وِلْيَمُ. إدْوَرْدُ. لندنُ. باريسُ. باكستانُ. بغدادُ. إبراهيمُ.

إسماعيلُ. إسحـٰقُ. يعقوبُ. يُونُسُ. يُوسُفُ.

(٦) (أ) أَغْنِياءُ. أَصْدِقاءُ. أَقْوِياءُ. أطِبَّاءُ.

(ب) فُقَراءُ. وُزَراءُ. زُمَـلاءُ. عُلَمـاءُ.

(ج) مَساجِدُ. مَدارِسُ. فنادِقُ. مكاتِبُ. دَقائِقُ.

(د) مَنادِيلُ. مَفاتِيحُ. فَناجِينُ. كَراسِيُّ.

تَمْـــــرِيْنٌ

اقرأ الكلمات الآتية واكتبها مع ضبط أواخرها :

محمد. خالد. مَرْيم. فاطمة. عبّاس. حَمْزة. مَسَاجد. كُتُب. أقلام. مَنادِيل. بُيُوت. زُمَلاء. لَنْدَن. سُفْيان. حامد. أحمد. إبراهيم. مكّة. زَيْنب. أَصْدِقاء. مُدَرِّسات. محمود. بَغْداد. جميل. كبير. أكبر. مجتهد. طويل. كَسْلان. طُلَّاب. فُقَراء. عليّ. باكستان. عمّار. سيارات. أحمر. إسماعيل. باريس. باب. قَلَم. مَدَارس. جُدّة. مَفَاتِيح. مدْرَسة. مَلْآن. مَكاتب. قريب. أُسامة.

الكلمات الجديدة :

الفِنْجانُ ج فَناجِيْنُ	المِنْدِيْلُ ج مَنادِيْلُ
المَدْرَسَةُ ج مَدارِسُ	المفتاحُ ج مَفاتِيْحُ
المَسْجِدُ ج مساجِدُ	أَبْيَضُ
الدَقِيْقَةُ ج دَقائِقُ	أَحْمَرُ
قَالَ	أَخْضَرُ
قَالَتْ	أَسْوَدُ
	أَزْرَقُ
	أَصْفَرُ

(٢٣) الدَّرْسُ الثَّالِثُ والْعِشْرُوْنَ

المدرسُ : من أنت ياأخي ؟

أحمـد : أنا طالبٌ جـديدٌ .

المدرس : ما آسمـك ؟

أحمـد : اسمي أحمـدُ .

المدرس : مـن أين أنتَ ؟

أحمـد : أنا من باكِسْتـانَ .

المدرس : عندي سبعةُ دَفاتِرَ . لمن هيَ ؟

عبـاس : هاتِ ياأستـاذ . هذا لي . وهذا لِمحمدٍ وهذا لحامدٍ وهذا لإِبراهيمَ وهذا لِعثمانَ وهذا ليوسفَ وهذا لِطلحةَ .

المدرس : أهذا كتابُكَ يامحمد ؟

محمـد : لا . هذا كتابُ حمـزةَ .

المدرس : أين عليٌّ ياإخـوانُ ؟

حامـد : ذَهَبَ إلى الرِّياضِ .

المدرس : وأين يعقـوبُ ؟

حامـد : ذهب إلى مكّـةَ .

المدرس : أين إسحاقُ ؟

محمد : خَرَجَ إلىٰ المدير .

المدرس : متى خَرَجَ ؟

محمد : خَرَجَ قَبْلَ خَمْسِ دقائِقَ .

تَمَارِيْنُ

(١) تأَمَّلْ الأمثلة الآتية :

محمدٌ : من محمدٍ، إلى محمدٍ، لِمحمدٍ، كتابُ محمدٍ .

زينبُ : من زينبَ، إلى زينبَ، لِزينبَ، كتابُ زينبَ .

(٢) اقرأ واكتب :

(١) هذا الكتاب لمحمد وذلك لزينب .

(٢) ذهب خالد إلى أحمد .

(٣) ذهب أبي إلى مكّة وذهب عميّ إلى جُدّة .

(٤) أخت مَرْوان مريضة .

(٥) أين زوج خديجة ؟ هو في لندن .

(٦) سيارة حامد جديدة وسيارة إبراهيم قديمة .

(٧) بيت خالد كبير وبيت أسامة صغير .

(٨) أين ذهب أبوك ياليلى؟ ذهب إلى بغداد.

(٩) في إصطنبول مساجد كثـــــيرة .

(١٠) عندي خمســـــة مفاتيـــح .

(١١) الكعبة في مكّـــــــة .

(١٢) في هذا الشارع ثلاثة مساجـــــد .

(١٣) هذا الطبيب ٱسمه وِلْيم وهو من لندن وذلك ٱسمه لُوِيْس وهو من باريس.

(١٤) سيارتي لونها أخضـــــــــر .

(١٥) عندي قلم أحمـــــــــر .

(١٦) «البيتُ الأبيضُ» في وَاشِنْطُـــــــنُ .

(١٧) ذهب أحمد إلى محمـــــــــد .

(١٨) ذهب محمد إلى أحمـــــــــد .

(١٩) أأنت من مكّة ؟ لا . أنا من الطَّائِف.

(٢٠) أخت فاطمـــــة طالبـــــة .

(٣) اقرأ الكلمات الآتية واكتبها مع ضبط أواخرها :

آمنة . من آمنة . لأحمد . أحمد . عثمان . من باكستان . باكستان .
لخديجة . لندن . إلى بغداد . إصطنبول . مكّة . في مكّة . جُدّة .

مســاجـد. في مدارس. يعقـوب. لإسحٰق. مُعـاوِية. من مُعَاوِيَة. لعائشة. عائشة. محمد. خالد. من عباس. نُعْمَان. حامد.

(٤) اكتب الأعـداد من ٣ إلى ١٠ وآجعل كلًّا من الكلمات الآتية معدوداً لها :

مسجـد. فنـدق. منديل. مفتاح. صديق. زميل. كرسيّ. مدرسة. دقيقة.

مفتاح
دروس اللغة العربية
للناطقين باللغة الإنجليزية

LESSON 1

In this lesson we learn the following things:

What is this?	مَا هَذَا ؟
This is a book.	هَذَا كِتَاب
Is this a house?	أَهَذَا بيتٌ ؟
Yes, this is a house.	نعم ، هَذَا بَيْتٌ .
No, this is a mosque.	لا ، هَذَا مَسْجِدٌ .
Who is this?	مَنْ هَذَا ؟

Note:

1. هَذَا is pronounced هَاذَا, but it is written without the first alif.

2. Arabic has no word corresponding to the English "is", i.e. Arabic has no copula.
3. There is no word in Arabic corresponding to "a" in English as in: "This is a book". The n-sound at the end of the Arabic noun (*kitâbu-n*, *baitu-n*, *masjidu-n*) is the Arabic indefinite article corresponding to the English "a"/ "an". This n-sound is called **tanwîn**.

4. The particle أ placed at the beginning of a statement turns it into a question, e.g.

This is a house.	هَذَا بَيْتٌ
Is this a house?	أَهَذَا بَيْتٌ ؟

بَيْتٌ	house	وَلَدٌ	boy
مَسْجِدٌ	mosque	طَالِبٌ	student
بَابٌ	door	رَجُلٌ	man
كِتَابٌ	book	تَاجِرٌ	merchant
قَلَمٌ	pen	كَلْبٌ	dog
مِفْتَاحٌ	key	قِطٌّ	cat
مَكْتَبٌ	writing table	حِمَارٌ	donkey
سَرِيْرٌ	bed	حِصَانٌ	horse
كُرْسِيٌّ	chair	جَمَلٌ	camel
نَجْمٌ	star	دِيْكٌ	rooster
قَمِيْصٌ	shirt	مُدَرِّسٌ	teacher
طَبِيْبٌ	doctor	مِنْدِيْلٌ	kerchief

LESSON 2

In this lesson, we learn the use of ذَلِكَ meaning "that", and وَ meaning "and", e.g.

This is a house and that is a mosque. هَذَا بَيْتٌ، وَذَلِكَ مَسْجِدٌ

Note:

1. ذَلِكَ is pronounced ذَالِكَ but it is written without the alif.

2. The word وَ is written close to the following word.

Vocabulary

إِمَامٌ	imâm	سُكَّرٌ	sugar
حَجَرٌ	stone	لَبَنٌ	milk

LESSON 3

n this lesson we learn the use of the Arabic definite article «al» which corresponds o the English "the". When the definite article «al» is prefixed to a noun naturally he indefinite article (-n) is dropped, e.g.

بَيْتٌ	⇨	الْبَيْتُ
*baitu-**n***	⇨	*al-baitu*

Arabic has 28 letters. Of these 14 are called Solar Letters, and the other 14 are called Lunar letters. In the articulation of the Solar letters the tip or the blade of the ongue is involved as in t, n, r, s, etc. The tip or the blade of the tongue does not lay any part in the articulation of the Lunar Letters as in b, w, m, k, etc.
When «al» is prefixed to a noun beginning with a Solar Letter the «l» of «al» is assimilated to the Solar Letter, e.g. al-shams (the sun) is pronounced *ash-shamsu*.
No change takes place in writing (الشَّمْسُ). The assimilation is indicated by the shaddah on the first letter of the noun.
No such assimilation takes place with the Lunar Letters, e.g. al-qamaru (the moon) s pronounced *al-qamaru* (الْقَمَرُ).
Here are some more examples of the assimilation of the «l» of «al» to the Solar Letters:

- al-najmu becomes ***an**-najmu*
- al-rajulu becomes ***ar**-rajulu*
- al-dîku becomes ***ad**-dîku*
- al-samaku becomes ***as**-samaku*

See the table of Lunar and Solar Letters (page 19 in the Arabic book).
Note that the «a» of «al» is pronounced only when it is not preceded by another word. If it is preceded by a word it is dropped in pronunciation, though it remains in writing, e.g. *al-baitu*. Here the «a» is pronounced, but if it is preceded by «wa» meaning "and" the «a» is dropped and the phrase is pronounced *wa l-baitu* not *wa al-baitu*.
To indicate this omission in pronunciation this sign « ـٰ » is placed above the hamzah: وَٱلْبَيْتُ

The initial vowel (a, i, or u) which is omitted when preceded by a word is called **hamazatu l-wasl**.

The door is open.	الْبَابُ مَفْتُوحٌ
The pen is broken.	الْقَلَمُ مَكْسُورٌ

☞Note:

We have learnt that the tanwîn is the indefinite article, and it is to be translated as «a», e.g.

📖 بَيْتٌ a house. This does not apply to adjectives like مَفْتُوحٌ "open",

and مَكْسُورٌ "broken".

📖Vocabulary

غَنِيٌّ	rich	x	فَقِيْرٌ	poor	
طَوِيْلٌ	tall	x	قَصِيْرٌ	short	
بَارِدٌ	cold	x	حَارٌّ	hot	
جَالِسٌ	sitting	x	وَاقِفٌ	standing	
جَدِيْدٌ	new	x	قَدِيْمٌ	old	
قَرِيْبٌ	near	x	بَعِيْدٌ	far away	
نَظِيْفٌ	clean	x	وَسِخٌ	dirty	
صَغِيْرٌ	small	x	كَبِيْرٌ	big	
خَفِيْفٌ	light	x	ثَقِيْلٌ	heavy	
الوَرَقُ	paper		المَاءُ	water	
التُّفَّاحُ	apple		جَمِيْلٌ	beautiful	
الدُّكَّانُ	shop		حُلْوٌ	sweet	
مَرِيْضٌ	sick				

✎Exercises:

Ex.1: (page 15)

These words are to be read and written with the correct ending, e.g.

مَسْجِدٌ *masjidun* is with tanwîn.

5

اَلْمَسْجِدُ *al-masjidu* has no tanwîn.

Ex.2: (page 15)

Fill in the blanks with the words given.

Ex.3: (page 16)

Fill in the blanks with suitable words. Note that the first word in the sentence should have «al» e.g.

اَلْبَيْتُ نَظِيْفٌ . The house is clean.

Ex.4: (page 17)

Read and write with the correct ending.

Ex.5: (page 17)

Fill in the blanks with suitable words.

Ex.6: (page 18)

Match the words in (a) with those in (b)

Ex.7: (page 20)

Read and write the words keeping in mind the rules pertaining to Solar and Lunar Letters.

🗎 LESSON 4

In this lesson we will learn the use of prepositions.

1. Arabic nouns have endings to show their functioned in the sentence. The normal ending of a noun is (-u) as in

   (The house is new). *al-baitu jadîd-u-n* الْبَيْتُ جَدِيْدٌ

   A noun with the normal ending is said to be in the nominative case. In Arabic it is called مَرْفُوْعٌ.

   After a preposition this ending changes to: «-i» e.g.

*al-bait-**u*** (the house)	الْبَيْتُ
*fi l-bait-**i*** (in the house)[1]	فِي الْبَيْتِ
*bait-**u**-n* (a house)	بَيْتٌ
*fi bait-**i**-n* (in a house)	فِي بَيْتٍ
*al-maktab-**u*** (the table)	الْمَكْتَبُ
*'ala l-maktab-**i*** (on the table)	عَلَى الْمَكْتَبِ

   A noun preceded by a preposition is said to be in genitive cause (in Arabic مَجْرُوْرٌ).

2. In this lesson we also learn the two pronouns: هُوَ "he, it", and هِيَ "she, it".

   In Arabic all nouns are either masculine or feminine.

   A masculine noun is referred to by the pronoun هُوَ whether it denotes a human being, an animal or a thing. e.g.

Where is the boy?	أَيْنَ الْوَلَدُ؟
He is in the mosque.	هُوَ فِي الْمَسْجِدِ

[1] The word فِي has a long «î». But when it is followed by «al» the «î» is shortened because in Arabic long vowels are not followed by a consonant, which has no vowel. (fîl ⇨ fil).

Where is the book? أَيْنَ الْكِتَابُ ؟

It is on the table. هُوَ عَلَى الْمَكْتَبِ

And a feminine noun is referred to by the pronoun هِيَ whether it denotes a human being, an animal or a thing. e.g.

Where is Aminah أَيْنَ آمِنَةُ

She is in the house. هِيَ فِي الْبَيْتِ

Where is the watch? أَيْنَ السَّاعَةُ؟

It is on the bed. هِيَ عَلَى السَّرِيْرِ

Most feminine nouns end with a round *ta* «ة» but there are some which do not have any special ending.

☞Note:

1. We have learnt that the tanwîn is the indefinite article, e.g. بَيْتٌ a house. This rule does not apply to proper nouns. So حَامِدٌ is just "Hâmid", not "a Hâmid".
2. Feminine proper nouns have no tanwîn, e.g. فاطِمَةُ ، زَيْنَبُ ، آمِنَةُ

📖 Vocabulary

أَيْنَ	where	عَلَى	on
غُرْفَةٌ	room	السَّمَاءُ	sky
الحَمَّامُ	bathroom	الفَصْلُ	classroom
المَطْبَخُ	kitchen	المِرْحَاضُ	toilet
فِي	in		

✍ Exercises

Ex.1: Answer the following questions (the answers are to be based on the lesson).

Ex.2: Read and write with the correct ending.

Ex.3: At the end of page 23: read and write with the correct endings. Remember that masculine proper nouns end in «-un», and feminine proper nouns end in «-u».

LESSON 4A

n this part we learn two more prepositions: مِنْ meaning "from" and إِلَى meaning "to".

- We also learn two more pronouns: أَنَا "I" and أَنْتَ "You".

أَنَا "I" is for both masculine and feminine, e.g.

I am Muhammad.	أَنَا مُحَمَّدٌ
I am Aminah.	أَنَا آمِنَةُ

But أَنْتَ "you" is only for masculine singular. You will learn the feminine and plural forms later .

- We also learn here two verbs ذَهَبَ "he went" and خَرَجَ "he went out".

Note the Following:

Where is Bilâl?	أَيْنَ بِلالٌ ؟
He went to the mosque.	ذَهَبَ إِلَى الْمَسْجِدِ
Bilâl went to the mosque.	ذَهَبَ بِلالٌ إِلَى الْمَسْجِدِ

So ذَهَبَ means "he went" but if it is followed by a noun as the subject, the pronoun "he" is dropped.

مِنْ from.(If it is followed by اَلْ it becomes مِنَ)

إِلَي	to	الفِلِبِّيْنُ	The Philippines
اليَابَانُ	Japan	المَدْرَسَةُ	school
الصِّيْنُ	China	السُّوْقُ	market
الهِنْدُ	India	الجَامِعَةُ	university
المُدِيْرُ	headmaster		

Exercises:

Ex.1: Answer the following questions (the answers are to be based on the lesson).
Ex.2: Read and write with the correct ending.
Ex.3: Read and write.
Ex.4: Fill in the blanks with the suitable preposition.

LESSON 5

In this lesson we learn the following:

Bilâl's book (*kitâbu bilâl-i-n*) كِتَابُ بِلَالٍ

The imâm's house (*bait-u l-imam-i*) بَيْتُ الإِمَامِ

In كِتَابُ بِلَالٍ the first word is the thing possesed.

It is called **mudâf**. The second word بِلَالٍ is the possessor. It is called **mudâf ilaihi**.

Note:

a) that the mudâf take neither the definite nor the indefinite article. So it is wrong to say كِتَابٌ بِلَالٍ or الكِتَابُ بِلَالٍ. The mudâf is definite by position, and does not need the definite article.

b) the mudâf ilaihi is in the genitive case. It can have tanwîn as in the first example or أَلْ as in the second example.

بِلَالٌ	بَيْتُ بِلَالٍ
*bilâl-**u**-n*	*bait-u Bilâl-**i**-n*
الإِمَامُ	بَيْتُ الإِمَامِ
*al-imam-**u***	*bait-u l-imam-**i***

c) كِتَابُ مَنْ؟ "whose book?". Note that مَنْ is not in the genitive case because it is indeclinable, i.e. it does not change to indicate its function. There are certain indeclinable nouns in Arabic which remain unchanged.

d) عَلَى مَكْتَبِ الْمُدَرِّسِ. Note that مَكْتَبِ is in the genitive case because of the preposition عَلَى and الْمُدَرِّسِ is in the genitive case because it is mudâf ilaihi.

2. تَحْتَ "under". The noun following تَحْتَ is in the genitive because it is mudâf ilaihi: تَحْتَ الْمَكْتَبِ ، تَحْتَ الْكِتَابِ

3. يَا is a vocative particle. A noun following يَا has only one dammah: يَا بِلَالُ not يَا بِلَالٌ ، يَا شَيْخُ ، يَا أُسْتَاذُ etc.

4. The words اِسْمٌ and اِبْنٌ commence with hamzatu l-wasl. When preceded by a word the initial «i-» is dropped in pronunciation.

اِسْمُ الْوَلَدِ بِلَالٌ ، وَاسْمُ الْبِنْتِ آمِنَةُ .

ism-u l-walâ-i bilâl-u-n, wa sm-u l-bint-i âminat-u

اِبْنُ الْمُدَرِّسِ طَبِيبٌ ، وَابْنُ الإِمَامِ تَاجِرٌ .

***ibn-u** l-mudarris-i tabÎb-u-n **wa bn-u** l-imâm-i tâjir-u-n.*

أَيْنَ ابْنُ حَامِدٍ؟

***aina bn-u** hâmid-i-n?*

Exercises:

Ex.1: Answer the following questions.
Ex.2: Form possessive phrase with the help of the two words.
Ex.3: Read and write with the correct ending. Note that the mudâf has «-u» ending, and the mudâf ilaihi has «-i» ending with or without tanwîn. If the mudâf is preceded by a proposition it has «-i» ending.
Ex.4: Read.
Ex.5: Fill in the blanks with suitable words.
Ex.6: Correct the following.
Ex.7: Read the following with correct ending.

Note that the noun after يا will have no nunation, but only one dammah, e.g.

*shaikh-**u-n**/ yâ shaikh-**u**.*

Ex.8: Make questions on the pattern of the example with the help of the pictures.
Ex.9: Read the following keeping in mind the rules regarding the hamzatu l-wasl.

Vocabulary

الرَّسُوْلُ	the messenger	تَحْتَ	under, beneath
العَمُّ	paternal uncle	الاِبْنُ	son
الشَّارِعُ	street	السَّيَّارَةُ	car
الكَعْبَةُ	al-Ka‘bah	هُنَا	here
الخَالُ	maternal uncle	هُنَاكَ	there
مُغْلَقٌ	closed, shut	البِنْتُ	daughter, girl
الاِسْمُ	name	الطَّبِيْبُ	doctor
الحَقِيْبَةُ	bag, case		

LESSON 6

In this lesson we learn:

1. هَـٰذِهِ which is the feminine of هَذَا. It is pronounced هَاذِهِ but the alif is omitted in writing.

   This is a boy and this is a girl. هَذَا وَلَدٌ وَ هَذِهِ بِنْتٌ

2. Nouns and adjectives are made feminine by adding a «ة» at the end. The last letter before the ة takes a fathah «a» e.g.

مُدَرِّسٌ	⇨	مُدَرِّسَةٌ
mudarris-u-n (teacher)	⇨	*mudarris-a-t-u-n* (lady teacher)

   Certain nouns have a separate form for feminine e.g.

اِبْنٌ son	بِنْتٌ daughter
أَخٌ brother	أُخْتٌ sister

   All nouns in Arabic are either masculine or feminine. Feminine nouns and adjectives usually have the ة-ending. But there are certain words which do not have this ending. Students when learning a new noun must learn its gender also. Double members of the body are usually feminine while single members are masculine, e.g.

Feminine	Masculine
يَدٌ hand	رَأْسٌ head
رِجْلٌ leg	أَنْفٌ nose
عَيْنٌ eye	فَمٌ mouth
أُذُنٌ ear	وَجْهٌ face

3. لِ Is a preposition meaning "belongs to, for" e.g.

   This belongs to Bilâl and that belongs to Hâmid. هَذَا لِبِلَالٍ ، وَ ذَلِكَ لِحَامِدٍ

Praise belongs to Allâh. اَلحَمْدُ لِلّٰهِ

Note that the word اَللّٰهُ becomes لِلّٰهِ *lillah-i* (belonging to Allâh) by just dropping the alif. No lâm need be added to the word.

لِمَنْ means "whose" or "belonging to whom" e.g.

Whose is this ? Whom does this belong to? لِمَنْ هَذَا ؟

Whose is the book? لِمَنِ الْكِتَابُ ؟

Note that مَنْ becomes مَنِ when followed by اَلْ

4. أَيْضاً means "also", e.g.

This is beautiful, هَذَا جَمِيْلٌ ،

and that is also beautiful. وَذلك أَيْضاً جَمِيْلٌ

5. جِداً means "very", e.g.

This is very big. هَذَا كَبِيْرٌ جِداً

✍ Exercises

Ex.1: Read and write.

Ex.2: Answer the question.

Ex.3: Fill in the blanks in the left column with the same predicate as in the sentences in the right column after turning them into feminine.

Ex.4: Correct the following.

Ex.5: Read the following with the correct ending.

🕮 Vocabulary

الْمِكْوَاةُ	iron (for ironing)	الأَنْفُ	nose
الْبَقَرَةُ	cow	الفَمُ	mouth
الدَّرَّاجَةُ	bicycle	القِدْرُ	cooking pot (fem.)
الْمِلْعَقَةُ	spoon	الأُذُنُ	ear
الفَلَّاحُ	farmer	العَيْنُ	eye
الأُمُّ	mother	اليَدُ	hand
الأَبُ	father	الرِّجْلُ	leg
الثَّلَّاجَةُ	fridge	سَرِيعٌ	fast
الشَّايُ	tea	النَّافِذَةُ	window
الْمَغْرِبُ	west	الشَّرْقُ	east
القَهْوَةُ	coffee		

LESSON 7

n this lesson we learn تِلْكَ which is feminine of ذَلِكَ "that" e.g.

This is Bilâl and that is Hâmid.	هَذَا بِلاَلٌ ، وَ ذَلِكَ حَامِدٌ
This is Aminah and that is Maryam.	هَذِهِ آمِنَةُ ، وَ تِلْكَ مَرْيَمُ

Exercises

Ex.1: Read and write.

Ex.2: Fill in the blanks with ذَلِكَ or تلك.

Vocabulary

النَّاقَةُ	she-camel	البَيْضَةُ	egg
البَطَّةُ	duck	المُؤَذِّنُ	mu'adhdhin
المُمَرِّضَةُ	nurse	الدَّجَاجَةُ	hen

LESSON 8

In this lesson we learn:

1. How to say "this book" in Arabic. We have seen that هَذَا كِتَابٌ means "this is a book". Now we learn that هَذَا الْكِتَابُ means "this book". This is not a sentence. To make it a sentence we must add a predicate e.g. "this book is new" هَذَا الْكِتَابُ جَدِيْدٌ.

   All demonstrative pronouns can be used to make this construction, e.g.

That man is an engineer.	ذَلِكَ الرَّجُلُ مُهَنْدِسٌ
This watch is beautiful.	هَذِهِ السَّاعَةُ جَمِيْلَةٌ
That nurse is from Japan.	تِلْكَ الْمُمَرِّضَةُ مِنَ الْيَابَانِ

2. We have seen that the normal ending of a noun is «-u», and it changes to «-i» after prepositions, and when the noun is a possessor, e.g.

The house is beautiful.	الْبَيْتُ جَمِيْلٌ
Bilâl is in the house.	بِلاَلٌ فِي الْبَيْتِ
This is the key of the house.	هَذَا مِفْتَاحُ الْبَيْتِ

   Nouns ending in long «-â» have no endings. They remain unchanged, e.g.

This is America.	هَذِهِ أَمْرِيْكَا
I am from America.	أَنَا مِنْ أَمْرِيْكَا
He is the president of America.	هُوَ رَئِيْسُ أَمْرِيْكَا

3. خَلْفَ "behind", أَمَامَ "in front of". The noun after these have «-i» ending e.g.

The house is behind the mosque.	الْبَيْتُ خَلْفَ الْمَسْجِدِ
Hâmid is in front of the teacher.	حَامِدٌ أَمَامَ الْمُدَرِّسِ

4. جَلَسَ means "he sat".

Where did Muhammad sit?	أَيْنَ جَلَسَ مُحَمَّدٌ ؟
He sat in front of the teacher.	جَلَسَ أَمَامَ الْمُدَرِّسِ

Exercises

Ex.1: Answer the following questions.
Ex.2: Read and write.
Ex.3: Change the following sentences as shown in the example:

هَذَا كِتَابٌ	⇨	هَذَا الْكِتَابُ لِمُحَمَّدٍ
This is a book.	⇨	This book belongs to Muhammad.

Ex.1: Make questions and answers as shown in the example using the word لِمَنْ "whose".
Ex.2: Read the following keeping in mind the rule pertaining to nouns ending in «-a».
Ex.3: Read and write keeping in mind the rule pertaining to خَلْفَ and أَمَامَ.

Vocabulary

أَمْرِيكَا	America	السِّكِّينُ	knife
مُغْلَقٌ	closed	أَلْمَانِيَا	Germany
العِرَاقُ	Iraq	إِنْكِلْتَرَا	England
سُوِيْسَرَا	Switzerland	الْمُسْتَشْفَى*	hospital

* Note that the ى which is pronounced alif has no dots.

LESSON 9

Part A

In this lesson we learn:

1. The adjective in Arabic. The adjective in Arabic follows the noun it qualifies, i.e. unlike in English it comes after the noun, e.g.

   A new house. بَيْتٌ جَدِيْدٌ

   In Arabic the adjective is called *na't* (نَعْتٌ), and the noun it qualifies is called *man'ût* (مَنْعُـــوْتٌ). The adjective is in agreement with the noun in the following matters:

a) Gender. The adjective of a masculine noun is masculine, and that of a feminine noun is feminine, e.g.

وَلَدٌ صَغِيْرٌ	⇨	بِنْتٌ صَغِيْرَةٌ
a small boy		a small girl
كِتَابٌ جَدِيْدٌ	⇨	سَيَّارَةٌ جَدِيْدَةٌ
a new book		a new car

b) Definite or indefinite article. If the noun is definite the adjective is also definite. And if the noun is indefinite so also is the adjective, e.g.

   Bilâl is a new teacher. بِلاَلٌ مُدَرِّسٌ جَدِيْدٌ

   The new teacher is in the class. اَلْمُدَرِّسُ الْجَدِيْدُ فِي الْفَصْلِ

c) Case. The adjective is in the same case as the noun, e.g.

   This is a new house. (*bait-**u**-n jadid-**u**-n*) هَذَا بَيْتٌ جَدِيْدٌ

   I am in a new house. (*fi bait-**i**-n jadid-**i**-n*) أَنَا فِي بَيْتٍ جَدِيْدٍ

   The new house is beautiful. (*al-bait-**u** l-jadid-**u***) اَلْبَيْتُ الْجَدِيْدُ جَمِيْلٌ

   Who is in the new house? (*fi l-bait-**i** l-jadid-**i***) مَنْ فِي الْبَيْتِ الْجَدِيْدِ ؟

2. Adjectives ending in «-an» have no tanwîn, e.g.

كَسْلاَنُ *kaslân-u* (lazy)

جَوْعَانُ *jau'ânu* (hungry)

عَطْشَانُ *'atshân-u* (thirsty)

غَضْبَانُ *ghadbân-u* (angry)

مَلآنُ *mal'ân-u* (full)

✍Exercises

Ex.1: Read and write.

Ex.2: Fill in he blanks with suitable adjectives.

Ex.3: Fill in the blanks with nouns suitable to the adjectives.

Ex.4: Read keeping in mind the rule pertaining to adjectives end in «-an».

🕮Vocabulary

الفَاكِهَةُ	fruit	الإِنْكِلِيْزِيَّةُ	English (language)
العُصْفُوْرُ	sparrow	صَعْبٌ	difficult
الطَّائِرُ	bird	المَدِيْنَةُ	city
العَرَبِيَّةُ	Arabic	القَاهِرَةُ	Cairo
اللُّغَةُ	language	اليَوْمُ	today
سَهْلٌ	easy	لِمَاذَا	why
مُجْتَهِدٌ	hardworking	الكُوْبُ	cup
شَهِيْرٌ	famous		

Part B

In this part we learn:

1. Adjective qualifying a definite noun, e.g.

   Where is the new teacher? أَيْنَ الْمُدَرِّسُ الْجَدِيْدُ ؟

2. Relative pronoun الَّذِي. If it refers to a human being it is to be translated "who", and it refers to an animal or a thing "which", e.g.

   الرَّجُلُ الَّذِي خَرَجَ مِنَ الْمَسْجِدِ الآنَ تَاجِرٌ شَهِيْرٌ .

   The man who went out of the mosque just now is a famous merchant.

   الْبَيْتُ الَّذِي أَمَامَ الْمَسْجِدِ لِلإِمَامِ .

   The house which is in front of the mosque belongs to the imam.

3. Note that when لِ is used with a noun having اَلْ, the alif of اَلْ is omitted:

الإِمَامُ	⇨	لِلإِمَامِ
الْمُدَرِّسُ	⇨	لِلْمُدَرِّسِ

4. عِنْدَ "with". The noun following it has «-i» ending e.g.

   The teacher is with the headmaster. الْمُدَرِّسُ عِنْدَ الْمُدِيْرِ

Exercises

Ex.1: Read and write.

Ex.2: Fill in the blanks with the adjective given in brackets. Note that if the noun has اَلْ the adjective should also have اَلْ.

Ex.3: Read and write.

Vocabulary

الْمَكْتَبَةُ	library	الثَّانَوِيَّةُ	secondary school
الآنَ	now, just now	الْوَزِيْرُ	minister
هُنَاكَ	there	حَادٌّ	sharp
الْمُسْتَوْصَفُ	clinic, small hospital	السُّوْقُ	market
الْمِرْوَحَةُ	fan	إِنْدُوْنِيْسِيَا	Indonesia
الْكُوَيْتُ	Kuwait	الشَّارِعُ	street

24

LESSON 10

In the lesson we learn:

1. The possessive pronouns: كَ , هُ , هَا , ي :

    kitâb-u-ka (your book). Here "your" is for masculine singular. كِتَابُكَ

    kitâb-u-hu (his book) كِتَابُهُ

    kitâb-u-hâ (her book) كِتَابُهَا

    kitâb-i for *kitâb-u-i* (my book) كِتَابِيْ

    These pronouns are not full-fledged words. They are like suffixes attached to the nouns.

2. As we have seen "your book" is كِتَابُكَ and "his book" is كِتَابُهُ.

    The word for "father" is أَبٌ and for "brother" is أَخٌ.

    "Your brother" is أَخُوْكَ and not أَخُكَ.

    An extra waw وَ has to be added between the mudâf and the mudâf ilaihi. In the same way "his father" is not أَبُهُ but أَبُوْهُ.

    Note the following:

    "Muhammad's house" is بَيْتُ مُحَمَّدٍ .

    But "Muhammad's father" is أَبُوْ مُحَمَّدٍ .

    And "Muhammad's brother" is أَخُوْ مُحَمَّدٍ .

    "My father" and "my brother" have no extra waw, e.g. أَبِيْ , أَخِيْ .

    The nouns which take this extra waw when they are mudâf are four words. You have learnt two, and you will learn the other two in future إِنْ شَاءَ اللّٰهُ.

3. We have already learnt that the word عنـد meaning "with". It is also used to convey the idea of "to have", e.g. أَعِنْدَكَ قَلَمٌ؟ "Have you a pen?" (literally, "Is there a pen with you?").

4. We have already learnt the preposition لِ meaning "belonging to". When it is attached to the pronouns it takes fatha (لَ): لَكَ "belonging to you", لَهُ "belonging to him", لَهَا "belonging to her"; but لِي "belonging to me", has kasrah.

☞Note :

لِي أَخٌ means "I have a brother", literally "a brother belongs to me."

لِي فَمٌ means "I have a mouth", literally "a mouth belongs to me."

It is wrong to say عِنْدِي فَمٌ/عِنْدِي أَخٌ because عِنْدَ is used with things which are separable, and relations and parts of the body are not of this nature.

5. We have learnt ذَهَـبَ "he went". Now we learn ذَهَبْتَ "you went" (masculine singular) and ذَهَبْتُ "I went".

Did you go to school today?	أَذَهَبْتَ إِلَى الْمَدْرَسَةِ الْيَوم ؟
Yes, I went.	نَعَمْ ، ذَهَبْتُ

6. We have learnt that feminine proper nouns have no tanwîn e.g. مَرْيَمُ ، آمِنَةُ.

Likewise, masculine proper nouns with ة-ending also have no tanwîn, e.g. حَمْزَةُ ، أُسَامَةُ ، مُعَاوِيَةُ.

7. مَـعَ means *with*. To understand the difference between مَعَ and عِنْدَ remember that if you say:

الْمُدَرِّسُ عِنْدَ الْمُدِيْرِ

"The teacher is with the headmaster" it means that the teacher has gone to the headmaster's office, *and he is with him there*, but:

الْمُدَرِّسُ مَعَ الْمُدِيْرِ

doesn't have this restriction. He can be with the headmaster *anywhere*.

Note that the noun after مَعَ has «-i» ending.

8.بالجامعة "at the university ". بـ is a preposition meaning "at" or "in".

Note that الجامعة الإسلامية با لمدينة المنورة means " Islamic University at Madinah Munawwarah".

9. In Lesson 1 we have learnt that ما means *what.* This word is also used as a negative particle. So ما عندي سيارةٌ means *I don't have a car* .

✍Exercises

Ex.1: Answer the following questions.
Ex.2: Fill in the blanks with the suitable possessive pronouns.
Ex.3: From five questions and answers on the pattern of the example.
Ex.4: From five questions and answers on the pattern of the example.
Ex.5: Attach possessive pronouns to the following nouns as shown in the example. Remove the tanwîn before attaching the pronoun:

*kitâb-**u**-n* ⇨ *kitâb-u-ka*

With the possessive pronoun of that first person the case ending "-u" has also to be removed:

*kitâb-**u-n*** ⇨ *kitâb-î*

Ex.6: Read the following.
Ex.7: Read the following.
Ex.8: Read the following.
Ex.9: Read the example and then read the proper nouns with the correct endings.

🕮Vocabulary

الزَّمِيْلُ	colleague, class-mate	الفَتَى	young man
الزَّوْجُ	husband	وَاحِدٌ	one
الطِّفْلُ	child		

LESSON 11

This is a revision lesson. It contains only two new words:
فِيْهِ/فِيْهَا and أُحِبُّ

1. فِيْهِ means "in it", e.g.

Who is in the house?	مَنْ فِي الْبَيْتِ ؟
There are my father and mother in it.	فِيْهِ أَبِي وأُمِّي

2. The feminine is فِيْهَا , e.g.

Who is in the room?	مَنْ فِي الغُرْفَةِ ؟
There is my brother in it.	فِيْهَا أَخِي

3. أُحِبُّ means "I love, I like", e.g.

I love my father, my mother, my brother and my sister.[1] — أُحِبُّ أَبِي وأُمِّي وأَخِي وأُخْتِي

The object of a verb is in the accusative case (مَنْصُوْب), i.e. it takes «-a» ending.

But it does not appear in a noun which has the possessive pronoun of the first person attached to it. Here are some examples of the object without the possessive pronoun of the first person:

(*uhibbu llâh-a*) I love Allâh.	أُحِبُّ اللَّهَ
(*uhibbu r-rasûl-**a***) I love the Messenger.	أُحِبُّ الرَّسُوْلَ
(*uhibbu rasûl**a** llâhi*) I love the Messenger of Allâh.	أُحِبُّ رَسُوْلَ اللهِ
(*uhibbu l-lughat-**a** l-'arbiyyat-**a***) I love the Arabic language.	أُحِبُّ اللُّغَةَ الْعَرَبِيَّةَ

[1] In English the word "and" is used only before the last word, but in Arabic وَ must be used all through.

Here we can learn تُحِبُّ "you love" (masculine singular).

Do you love Allâh?	أَتُحِبُّ اللّٰهَ ؟
Do you love your language (*lughat-**a**-ka*)?	أَتُحِبُّ لُغَتَكَ ؟
Whom do you love?	مَنْ تُحِبُّ ؟
What do you love?	مَاذَا تُحِبُّ ؟

LESSON 12

n this lesson we learn the following:

1. We have learnt before أَنْتَ "you" for masculine singular. Now we learn أَنْتِ "you" for feminine singular, e.g.

   Where are you from, Aminah? — مِنْ أَيْنَ أَنْتِ يَا آمِنَةُ؟

   The possesive pronoun from أَنْتِ is كِ «-ki», e.g.

   Where is your house, Maryam? — أَيْنَ بَيْتُكِ يَا مَرْيَمُ؟

2. We have already leant that the possessive pronoun from أَنْتَ isكَ, e.g.

   Where is your house, Bilal? — أَيْنَ بَيْتُكَ يَا بِلَالُ ؟

   We have already learnt ذَهَبَ "he went", ذَهَبْتُ "I went" and ذَهَبْتَ "you went".

   Now we can learn ذَهَبَتْ "she went", e.g.

   Where is Aminah? — أَيْنَ آمِنَةُ ؟

   She went to the university. — ذَهَبَتْ إِلَى الجَامِعَةِ

   If the subject is mentioned the pronoun "she" has to be dropped, e.g.

   Maryam went to school. — ذَهَبَتْ مَرْيَمُ إِلَى الْمَدْرَسَةِ

   In ذَهَبَتْ the last letter تْ has sukûn.

   If a verb like this is followed by اَلْ the sukun is changed to kasrah e.g.

   The girl went.

3. We have already learnt الَّذِي "who, which" for masculine singular. Now we learn الَّتِي for feminine singular, e.g.

   الطَّالِبَةُ الَّتِي جَلَسَتْ أَمَامَ الْمُدَرِّسَةِ مِنْ أَلْمَانِيَا

   The girl student who sat in front of the lady teacher is form Germany.

السَّاعَةُ الَّتِي عَلَى الْمَكْتَبِ لِلْمُدَرِّسِ

The watch which is on the table belongs to the teacher.

4. We have learnt كِتَابُكَ "your book". Now note هذا كِتَابُكَ أَنْتَ "this is **your** book". Here أَنْتَ has been added for emphasis. This is used in case there is doubt or dispute.

Note also:

هَذَا بَيْتُهُ هُوَ. هَذَا قَلَمِي أَنَا . ذَلِكَ كِتَابُهَا هِيَ .

Ex.1: Read and write.

Ex.2: Change the pronoun in the following sentences to feminine as explained in the example.

Ex.3: Change the subject of the following sentences to feminine as explained in the example.

Ex.4: Fill in the blanks with الَّذِي or الَّتِي

📖Vocabulary

الشَّجَرَةُ	tree	العَمُّ	paternal uncle
سُوْرِيَا	Syria	العَمَّةُ	paternal aunt
الْمَدْرَسَةُ الْمُتَوَسِّطَةُ	middle school	الخَالُ	maternal uncle
الْمُفَتِّشُ	inspector	الخَالَةُ	maternal aunt
الفَتَاةُ	young lady	مُسْتَشْفَى الوِلَادَةِ	maternity hospital
الدَّفْتَرُ	notebook	يَا سَيِّدِي	sir!
مَالِيْزِيَا	Malaysia	يَا سَيِّدَتِي	madam!
أَنَا بِخَيْرٍ	I am fine	كَيْفَ حَالُكَ؟	how are you? How do you do?
آبَاءٌ pl of أَبٌ	father	أُمَّهَاتٌ pl of أُمٌّ	mother
عُلَمَاءُ pl of عَالِمٌ	scholar	وُزَرَاءُ pl of وَزِيْرٌ	minister
ضِعَافٌ pl of ضَعِيْفٌ	weak	أَقْوِيَاءُ pl of قَوِيٌّ	strong

بَعْدَ   after (the noun following بعد is in the genitive case)

الْمَمْلَكَةُ الْعَرَبِيَّةُ السُّعُوْدِيَّةُ   Kingdom of Saudi Arabia

LESSON 13

Part A

In this lesson we learn:

1. The plurals of nouns and adjectives. In English adjectives have no plural form. We say: "good man" and "good men". But in Arabic even adjectives have plural form.
   In English we have two kinds of plural form:
   (1) Sound, and
   (2) Broken
   In the sound plural the word retains its original form e.g.
   Book ⇨ books, pen ⇨ pens.
   In the broken plural the original form of the word is changed to a great extent, e.g. Man ⇨ men, woman ⇨ women.
   In Arabic we have these two kinds of plural forms: sound and broken.

- The **sound plural** is either masculine or feminine. The sound masculine plural has «-una» ending. e.g.

مُسْلِمٌ	⇨	مُسْلِمُوْنَ
*muslim-**u-n***		*muslim-**ûna***
مُدَرِّسٌ	⇨	مُدَرِّسُوْنَ
*mudarris-**u-n***		*mudarris-**ûna***

The sound feminine plural has "ât-u-n" ending. e.g.

مُسْلِمَةٌ	⇨	مُسْلِمَاتٌ
*muslim-**at**-u-n*		*muslim-**ât**-u-n*
مُهَنْدِسَةٌ	⇨	مُهَنْدِسَاتٌ
*muhandis-**at**-u-n*		*muhandis-**ât**-u-n*

Note that in this plural form the singular has short «a» before the «t» (*muslimat-u-n*), and the «t» is round (ة), whereas in the plural the «a» is long, and the «t» is open (*muslimât-u-n*).

In pronunciation the only difference between the singular and the plural is the shortness and length of «a»:

muslimat-u-n   *muslimât-u-n*
⇧   ⇧

• The **broken plural**. Unlike in English, the broken plural is very widely used in Arabic. There are more than twenty patterns of the broken plural. Some are given in this lesson. These are:

فُعُوْلٌ	نَجْمٌ	نُجُوْمٌ
(1u2û3-u-n)*	*najm-u-n*	*nujûm-u-n*
فُعُلٌ	كِتَابٌ	كُتُبٌ
(1u2u3-u-n)	*kitâb-u-n*	*kutub-u-n*
فِعَالٌ	جَبَلٌ	جِبَالٌ
(1i2â3-u-n)	*jabal-u-n*	*jibâl-u-n*
فُعَّالٌ	تَاجِرٌ	تُجَّارٌ
(1u22â3-u-n)	*tâjir-u-n*	*tujjâr-u-n*
أَفْعَالٌ	قَلَمٌ	أَقْلاَمٌ
(a12â3-u-n)	*qalam-u-n*	*aqlâm-u-n*
فُعَلاَءُ	زَمِيْلٌ	زُمَلاَءُ
(1u2a3â'-u) This is without tanwîn	*zamîl-u-n*	*zumalâ'-u*
أَفْعِلاَءُ	صَدِيْقٌ	أَصْدِقَاءُ
(a12ilâ'-u) This is without tanwîn	*sadîq-u-n*	*asdiqâ'-u*
فِعْلَةٌ	أَخٌ	إِخْوَةٌ
(1i23at-u-n)	*akh-u-n*	*ikhwat-u-n*

The Student is advised to learn the plural form of every new noun and adjective he learns.

* The numbers 1,2 and 3 refer to the first, second and third letters of the word

2. The plural of هَذَا and هَذِهِ is هَؤُلَاءِ (*hâ'ulâ'i*), e.g.

هَذَا تَاجِرٌ	هَؤُلَاءِ تُجَّارٌ
This is a merchant.	These are merchants.
هَذِهِ مُدَرِّسَةٌ	هَؤُلَاءِ مُدَرِّسَاتٌ
This is a lady teacher.	These are lady teachers.

Note that هَـؤُلَاءِ is mostly used with human beings. Its use to refer to non-human beings is rare. See lesson 16 to find out what word to be used with non-human beings.

3. The plural of هُـوَ "he" is هُمْ "they" (masculine). Unlike the singular هُوَ the plural هُمْ is used to refer only to human beings, e.g.

هُوَ مُدَرِّسٌ	هُمْ مُدَرِّسُوْنَ
He is a teacher.	They are teachers.

The plural of ـهُ (his) is ـهُمْ (their),e.g.

Where is their house? أَيْنَ بَيْتُهُمْ ؟

Their father is a famous merchant. أَبُوْهُمْ تَاجِرٌ شَهِيْرٌ

Note that the words for "they" and "their" have the same form (هُمْ).

4. We have learnt ذَهَبَ "he went". Now "they went" is ذَهَبُوْا *dhahabû*. Note that there is an alif at the end of the word which is not pronounced.
Note that the pronoun that we have learnt in this part of the lesson is masculine. We will learn the feminine pronoun in Part B of this lesson.

5. بَعْضُ "some",e.g.

بَعْضُهُمْ مُدَرِّسُوْنَ ، وَبَعْضُهُمْ مُهَنْدِسُوْنَ

Some of them are teachers, and some (of them) are engineers.

فِتْيَةٌ	plural of فَتًى young man	أَسْمَاءٌ	pl of اسم name
طِوَالٌ	pl of طَوِيْلٌ tall	رِجَالٌ	pl of رَجُلٌ man
طُلَّابٌ	pl of طَالِبٌ student	اَلنَّاسُ	people
جُدُدٌ	pl of جَدِيْدٌ new	قِصَارٌ	pl of قَصِيْرٌ short
ضَيْفٌ	guest, pl ضُيُوْفٌ	حُجَّاجٌ	pl of حَاجٌّ pilgrim
قَرْيَةٌ	village	أَصْدِقَاءُ	pl of صَدِيْقٌ friend
حَقْلٌ	field, pl حُقُوْلٌ	اَلْمَطْعَمُ	restaurant, mess
زُمَلَاءُ	pl of زَمِيْلٌ class-mate	أَبْنَاءٌ	pl of اِبْنٌ son
مُجْتَهِدُوْنَ	pl مُجْتَهِدٌ hardworking	شَيْخٌ	old man, learned-man, pl شُيُوْخٌ

Exercises

Ex.1: Change the subject of the following sentences into plural as shown in the example.

Ex.2: Change the underlined word to plural and reconstruct the sentence.

Ex.3: Make the following nouns mudâf using first a noun, and then a pronoun as shown in the example.

Note that in nouns ending in alif and hamzah the hamzah is written above a waw when followed by a pronoun, but when followed by a noun it remains independent. e.g.

Muhammad's sons	أَبْنَاءُ مُحَمَّدٍ
His sons	أَبْنَاؤُهُ

Ex.4: Change the subject of the following sentences into plural as shown in the example.

Ex.5: Read and write.

Ex.6: Write the plural of the following nouns and adjectives.

Part B

In this part we learn the following:

1. The plural of هِيَ "she" is هُنَّ ,e.g.

They are my brothers,	هُمْ إِخْوَتِي ،
and they are my sisters.	وَهُنَّ أَخَوَاتِي

The plural of هَـــا "her" is هُنَّ " their". Note that the pronouns for "they" and "their" are the same.

They are my class-mates and this is their house. هُنَّ زَمِيلاَتِي ، وَهَذَا بَيْتُهُنَّ

2. We have already learnt that the plural of هَذِهِ is هَؤُلاَءِ, i.e. it is the same for both the masculine and the feminine.

3. We have learnt in Part A that ذَهَبُوا means "they went" (masculine). "They went" (feminine) is ذَهَبْنَ (*dhahabna*), e.g.

Where are your brothers?	أَيْنَ إِخْوَتُكَ ؟
They went to the university.	ذَهَبُوْا إِلَى الْجَامِعَةِ
And where are your sisters?	أَيْنَ أَخَوَاتُكَ ؟
They went to the library.	ذَهَبْنَ إِلَى الْمَكْتَبَةِ

4. We have already learnt the formation of the sound feminine plural. In the pronunciation the «a» before the «t» is lengthened. In writing, in addition to this, the "round ta" is changed to "open ta", e.g.

مُسْلِمَةٌ ⇨ مُسْلِمَاتٌ

muslimat-u-n ⇨ muslimâtu-n

Note that the following plurals which are irregular:

بِنْتٌ بَنَاتٌ

bint-un banât-un

أُخْتٌ أَخَوَاتٌ

ukht-un Akhawât-u-n

فَتَاةٌ فَتَيَاتٌ

fatât-u-n Fatayât-u-n

✍Exercises

Ex.1: Change the subject in the following sentences to plural. Note that adjectives like كِبَارٌ ، صِغَارٌ ، طِوَالٌ ، جُدُدٌ are the same for masculIne and feminine.

Ex.2: Read and write.

Ex.3: Change the subject in each of the following sentences to plural .

Ex.4: Fill in the blanks using suitable demonstrative pronouns:

(هَذَا ، هَذِهِ ، هَؤُلَاءِ).

Note that هَؤُلَاءِ is for both masculine and feminine.

Ex.5: Fill in the blanks using suitable personal pronouns:

(هُوَ ، هُمْ ، هِيَ ، هُنَّ).

Ex.6: Write the plural of the following nouns and adjectives.

📖Vocabulary

أُسْتَاذَةٌ lady professor		الْمَرْأَةُ ، إمْرَأَةٌ woman	
عَمَّةٌ aunt (father's sister)		النِّسَاءُ women (plural	
زَوْجَةٌ wife		from a different root)	
زَوْجٌ husband			
مُسْتَشْفَى الْوِلَادَةِ maternity hospital			

39

Part C

In this part we learn that the plural of ذَلِكَ and تِلْكَ is أُولَائِكَ "those". Note that the waw (و) in أُولَائِكَ is not pronounced. The word is pronounced *ulâ'ika.*

✍Exercises

Ex.1: Change the subject of each of the following sentences to plural as shown in the example.

Ex.2: Fill in the blanks using suitable demonstrative pronouns:(أُولَائِكَ, تِلْكَ, ذَلِكَ).

Ex.3: Write the plural of the following nouns.

Ex.4: Read the following keeping in mind that these broken plural patterns have no tanwîn.

📄 LESSON 14

In this lesson we learn the following:

1. The plural of أَنْتَ "you" (masculine singular) is أَنْتُمْ ,e.g.

Who are you? مَنْ أَنْتُمْ ؟

The plural of كَ "your" is كُمْ, e.g.

Brothers, where is your house? أَيْنَ بَيْتُكُمْ يَا إِخْوَانُ ؟

2. The plural of أَنَا "I" is نَحْنُ. Like أَنَا its plural نَحْنُ refers to both the masculine and feminine, e.g.

We are Muslims (masculine). نَحْنُ مُسْلِمُوْنَ

We are Muslims (feminine). نَحْنُ مُسْلِمَاتٌ

We have learnt that بَيْتِي means "my house". Now we learn that "our house" is بَيْتُنَا *bait-u-nâ*, e.g.

Allah is our Lord. اللّٰهُ رَبُّنَا

Islam is our faith. الإِسْلاَمُ دِيْنُنَا

مُحَمَّدٌ - صَلَّى اللّٰهُ عَلَيْهِ وَسَلَّمَ - نَبِيُّنَا

Muhammad (peace and blessing of Allah be upon him) is our Prophet.

3. ذَهَبْتَ means "you went" (mas. sing.). ذَهَبْتُمْ means "you went" (mas.), e.g.

Where did you go, my sons? أَيْنَ ذَهَبْتُمْ يَا أَبْنَائِي ؟

4. ذَهَبْتُ means "I went". And "we went" is ذَهَبْنَا (***dhahabnâ***). Note that "they went" (feminine) is ذَهَبْنَ ***dhahabna***. The difference between the two is that in ذَهَبْنَ the final «a» is short, and in ذَهَبْنَا it is long.

5. We have seen that the feminine proper nouns have no tanwîn, e.g. آمِنَةُ، مَرْيَمُ، خَدِيْجَةُ.

Now we learn that the non-Arabic proper nouns also have no tanwîn, e.g وِلْيَمُ ، هِتْلَرُ لَنْدَنُ ، بَاكِسْتَانُ.

Likewise the names of most of the prophets are non-Arabic, and therefore, they have no tanwîn, e.g.
آدَمُ ، إِبْرَاهِيْمُ ، إِسْحَاقُ ، إِسْمَاعِيْلُ ، يَعْقُوْبُ.

If, however, the non-Arabic proper noun has only three letters, and the second letter (is sakin and) has no vowel, and is masculine, it has tanwîn, e.g.
نُوْحٌ ، لُوْطٌ ، جُرْجٌ (George) ، خَانٌ

6. We have learnt that mudâf is definite by position. So, when the mudâf has an adjective it must be definite, e.g.

The imam's new house. بَيْتُ الإِمَامِ الْجَدِيْدُ

Here بَيْتُ is the mudâf, and it is definite by position. The same applies to the mudâf whose mudâf ilaihi is a possessive pronoun, e.g. بَيْتُهُ الجَدِيْدُ "his new house".

Note the following:

The imam's new house. بَيْتُ الإِمَامِ الْجَدِيْدُ

The new imam's house. بَيْتُ الإِمَامِ الْجَدِيْدِ

7. أَيٌّ "which". It is used as a mudâf, e.g.

Which house is this? أَيُّ بَيْتٍ هَذَا ؟

Which student went out? أَيُّ طَالِبٍ خَرَجَ ؟

- When preceded by a proposition it is in the genitive case, e.g.

Which country are you from? مِنْ أَيِّ بَلَدٍ أَنْتَ ؟

In which class-room did you sit? فِي أَيِّ فَصْلٍ جَلَسْتَ ؟

▪It can be in the accusative case, e.g.

Which language do you like? أَيَّ لُغَةٍ تُحِبُّ ؟

✍Exercises

Ex.1: Answer the following questions.

Ex.2: Read and write.

Ex.3: Use the following nouns with the possessive pronouns as shown in the example.

Ex.4: Read.

Ex.5: Read the following nouns keeping in mind the rule pertaining to the non-Arabic proper nouns.

🕮Vocabulary

أَهْلاً وَسَهْلاً وَمَرْحَباً	welcome	الدُّسْتُوْرُ	constitution (law)
طِفْلَةٌ	child (feminine)	القِبْلَةُ	prayer direction
المَطَارُ	airport	المَحْكَمَةُ	lawcourt
الكُلِّيَّةُ	faculty, college	حَفِيْدٌ	grandson, pl حَفَدَةٌ
كُلِّيَّةُ الطِّبِّ	Faculty of Medicine	الحَدِيْقَةُ	garden
كُلِّيَّةُ الْهَنْدَسَةِ	Faculty of Engineering	الرَّبُّ	Lord
كُلِّيَّةُ التِّجَارَةِ	Faculty of Commerce	يَوْمُ السبتِ	Saturday
كُلِّيَّةُ الشَّرِيْعَةِ	Faculty of Islamic Law	الشَّهْرُ	month
نَصْرَانِيٌّ	Christian, pl نَصَارَى	رَجَبٌ	the month of Rajab
النَّبِيُّ	Prophet	اليُوْنَانُ	Greece
الدِّيْنُ	religion	إِخْوَةٌ	pl of أَخٌ
شَفَاهُ اللَّهُ	May Allah grant him health!		

LESSON 15

In this lesson we learn the following:

1. The plural of أَنْتِ "you" (feminine singular) is أَنْتُنَّ .

Who are you, sisters?	مَنْ أَنْتُنَّ يَا أَخَوَاتِي ؟
We are the imam's daughters.	نَحْنُ بَنَاتُ الإِمَامِ

2. The plural of كِ "your" (feminine singular) is كُنَّ ,e.g.

Where is your house, ladies?	أَيْنَ بَيْتُكُنَّ يَا سَيِّدَاتُ ؟
Our house is near the mosque.	بَيْتُنَا قَرِيبٌ مِنَ الْمَسْجِدِ

3. We have learnt ذَهَبْتِ "you went" (feminine singular). Its plural is ذَهَبْتُنَّ, e.g.

Where did you go sisters?	أَيْنَ ذَهَبْتُنَّ يَا أَخَوَاتُ ؟
Where did you go, brothers?	أَيْنَ ذَهَبْتُمْ يَا إِخْوَانُ؟

4. قَبْـــلَ means "before", بَعْدَ means "after". They are always mudâf, and the noun following them is in the genitive case. e.g.

After the lesson	بَعْدَ الدَّرْسِ
Before the prayer	قَبْلَ الصَّلَاةِ

5. رَجَعَ "he returned".

Has the imâm returned from the mosque?	أَرَجَعَ الإِمَامُ مِنَ الْمَسْجِدِ؟

I went to the mosque before the adhân and returned after the salât.

✍Exercises

Ex.1: Answer the following questions.

Ex.2: Change the subject of each of the following sentences to feminine.

Ex.3: Change the possessive pronoun in each of the following sentences to feminine.

Ex.4: Fill in the blanks with the suitable personal pronouns (أَنْتِ ، أَنْتُمْ أَنْتَ ، أَنْتُنَّ).

Ex.5: Fill in the blanks with suitable possessive pronouns (كَ ، كُمْ ، كِ كُنَّ)

Ex.6: Fill in the blanks with أَنَا or نَحْنُ .

Ex.7: Read and write.

🕮Vocabulary

القَاهِرَةُ	Cairo	الآنَ	now
الأُسْبُوعُ	week	الإِخْتِبَارُ	examination
الدَّرْسُ	lesson		

LESSON 16

In this lesson we learn the following:

1. In Arabic nouns are classified as (1) rational and (2) irrational. They are also called intelligent and unintelligent. Rational nouns are those that refer to human beings. Angels, devils, and such beings are also included in this class. Irrational nouns refer to things, animals and concepts.
   In the singular there is no difference between these two groups. In plural, however, there is a very important difference. Plurals of rational nouns are treated as plural, so plural words like "they" "these" "those" are used to refer to them. Plurals of irrational nouns are treated as feminine singular, e.g.

   Rational (عَاقِلٌ)

   Singular: هَذَا طَالِبٌ جَدِيْدٌ ، هُوَ صَغِيْرٌ

   Plural: هَؤُلاَءِ طُلاَّبٌ جُدُدٌ ، هُمْ صِغَارٌ

   Irrational (غَيْرُ عَاقِلٍ)

   Singular: هَذَا كِتَابٌ جَدِيْدٌ ، هُوَ صَغِيْرٌ

   Plural: هَذِهِ كُتُبٌ جَدِيْدَةٌ ، هِيَ صَغِيْرَةٌ

   So regard the plurals of irrational nouns as feminine singular.

   Note:

   This is the basic rule. There are exceptions to this rule, which you will learn later on.

2. We have learnt some patterns of the broken plural. Here are more:

   مَسْجِدٌ مفاعل — مَسَاجِدُ

   (1a2â3i4-u).*masjid-u-n* — *masâjid-u*

   This pattern has no tanwîn. دَفْتَرٌ — دَفَاتِرُ

   daftar-u-n — *dafâtir-u*

✍Exercises

Ex.1: Learn the examples.

Ex.2: Change the subject in each of the following sentences into plural as shown in the example.

Ex.3: Fill in the blanks with the demonstrative pronouns:

(هَذَا ، هَذِهِ ، هَؤُلَاءِ)

Ex.4: Fill in the blanks with the demonstrative pronouns:

(ذَلِكَ ، تِلْكَ ، أُوْلَئِكَ)

🕮Vocabulary

النَّهْرُ	river	الفُنْدُقُ	hotel
البَحْرُ	sea	الطَّائِرَةُ	airplane

🗎 LESSON 17

This is a continuation of lesson 16. It contains no new constructions.

Note that the plural of حِمَارٌ is حُمُرٌ and also حَمِيْرٌ

✍Exercises

Ex.1: Answer the following questions.

Ex.2: Change the subject in each of the following sentences into plural as shown in the example.

Ex.3: Fill in the blanks with suitable predicates.

Ex.4: Write the plurals of the following nouns.

🕮Vocabulary

الشَّرِكَةُ firm, company	مُدِيْرُ الشَّرِكَةِ director of the company
رَخِيْصٌ cheap	يَابَانِيَّةٌ Japanese
القَمِيْصُ shirt, pl قُمْصَانٌ	

📄 LESSON 18

In this lesson we learn the following:

1. Unlike English, Arabic has three number: singular, plural and dual. Dual refers to two; and more than two is plural. The dual form ends in «-âni», e.g.

بَيْتَانِ	بَيْتٌ
bait-âni	*bait-u-n*
يَدَانِ	يَدٌ
yad-âni	*yad-u-n*

▪ The dual of هَذَا is هَذَانِ and هَذِهِ is هَاتَانِ, e.g.

هَذَانِ كِتَابَانِ

هَاتَانِ سَيَّارَتَانِ

▪ The dual of هُوَ and هِيَ is هُمَا, e.g.

Who are these two boys?	مَنْ هَذَانِ الْوَلَدَانِ ؟
They are (two) new students.	هُمَا طَالِبَانِ جَدِيْدَانِ
Where are the two sisters?	أَيْنَ الأُخْتَانِ ؟
They are in the room.	هُمَا فِيَ الْغُرْفَةِ

Note that the adjective qualifying a dual noun is also dual.

2. كَمْ "how many". Note that the noun following كَمْ is singular and in the accusative case. e.g.

How many books?	كَمْ كِتَاباً ؟
How many cars?	كَمْ سَيَّارَةً ؟

Note that a noun with tanwîn in the accusative case takes an alif which is not pronounced, e.g.

كِتَابٌ – كِتَاباً – كِتَابٍ

49

But a noun ending in the round ta (ة) does not take this alif, e.g.

سَيَّارَةٌ – سَيَّارَةً – سَيَّارَةٍ

Exercises

Ex.1: Answer the following questions using the dual e.g.

كَمْ قَلَماً عِنْدَكَ ؟

عِنْدِيْ قَلَمَانِ

Note taht the dual of أَخٌ is أَخَوَانِ (not أَخَانِ) .

Ex.2: Read and write.

Ex.3: Fill in the blanks with the suitable words, and vocalize it with the correct ending.

Ex.4: Change the subject in the following sentences to dual.

Ex.5: Read and write the following nouns with the correct ending.

Ex.6: Write the duals of the following words.

Vocabulary

العَجَلَةُ	wheel	السَّبُّوْرَةُ	writing board
العِيْدُ	festival	الرِيَالُ	riyal
السَّنَةُ	year	الحَيُّ	city district
النَافِذَةُ	window	الرَّكْعَةُ	rak‘ah (a unit of
المِسْطَرَةُ	ruler		salât) pl رَكَعَاتٌ

Note that the second letter «k» has sukûn in the singular, and fatha in the plural.

LESSON 19

In this lesson we learn the numbers 3 to 10 with a masculine noun following them.

- The word for "one" is وَاحِدٌ and it follows the noun as an adjective e.g.

One book — كِتَابٌ وَاحِدٌ

- The word for "two" is اثْنَانِ and this also follows the noun as an adjective, e.g.

"two books". — كِتَابَانِ إِثْنَانِ

But usually the word اثْنَانِ is omitted because the dual form is enough to suggest the meaning of "two'. But اثْنَانِ is used for emphasis.

- Numbers 3 to 10 : these numbers are used as mudâf, e.g.

Three books — ثَلَاثَةُ كُتُبٍ

Four houses — أَرْبَعَةُ بُيُوتٍ

Five pens — خَمْسَةُ أَقْلَامٍ

Ten men — عَشْرَةُ رِجَالٍ

The noun that denotes the thing numbered is called ma'dûd (مَعْدُودٌ).

Note that the ma'dûd is plural ; and it is in the genitive case because it is mudâf ilaihi.

The word denoting the number may be in any case: nominative, genitive or accusative, e.g.

Three students went out. — خَرَجَ ثَلَاثَةُ طُلَّابٍ

In four houses. — فِي أَرْبَعَةِ بُيُوتٍ

I saw five men. — رَأَيْتُ خَمْسَةَ رِجَالٍ

Note: in كَمْ ثَمَنُ هَذَا الْكِتَابِ؟ "what is the price of this book?" there is an omission. The word omitted is رِيَالاً or any other word denoting monetary unit.

✍Exercises

Ex.1: Read and write.
Ex.2: Read and write the following sentences.
Ex.3: Answer each of the following questions using the number given in brackets.
Ex.4: Count from 3 to 10 using the following words as ma‘dûd.

🕮Vocabulary

كُلٌّ	all	شُكْراً	thanks
كُلُّهُمْ	all of them	اليَوْمُ	day, pl أَيَّامٌ
كُلُّكُمْ	all of you	الثَّمَنُ	price
كُلُّنَا	all of us	النِصْفُ	half
البَلَدُ	country, pl بِلاَدٌ	القِرْشُ	1/10th of a riyal, pl قُرُوْشٌ
مُخْتَلِفٌ	different		
الحَافِلَةُ	bus	قُدَامَى	pl of قَدِيْمٌ old
مِنْهُمْ	of them (literally, from them)	الرَّاكِبُ	passenger (traveling by a bus or plane), pl رُكَابٌ
أُوْرُبَّا	Europe	السُؤَالُ	question
يُوْغُسلاَفِيَا	Yugoslavia	الجَيْبُ	pocket

LESSON 20

In this lesson we learn the numbers from 3 to 10 with the feminine ma'dûd. We have already learnt these numbers with masculine ma'dûd, e.g.

Three sons ثَلاَثَةُ أَبْنَاءٍ

Now if the ma'dûd is feminine, the "ta-marbûtah" at the end of the number is omitted, e.g.

three sons	ثَلاَثَةُ أَبْنَاءٍ	three daughters	ثَلاَثُ بَنَاتٍ
four brothers	أَرْبَعَةُ إِخْوَةٍ	four sisters	أَرْبَعُ أَخَوَاتٍ
five fathers	خَمْسَةُ آبَاءٍ	five mothers	خَمْسُ أُمَّهَاتٍ
six men	سِتَّةُ رِجَالٍ	six women	سِتُّ نِسَاءٍ
seven students	سَبْعَةُ طُلاَّبٍ	seven female students	سَبْعُ طَالِبَاتٍ
eight houses	ثَمَانِيَةُ بُيُوتٍ	eight rooms	ثَمَانِيْ غُرَفٍ

Note that ثَمَانِيْ has sukûn on the last letter.

ten men	عَشَرَةُ رِجَالٍ	ten women	عَشْرُ نِسَاءٍ

Note that عَشَرَةٌ has fatha on the (ش) and عَشْرٌ has sukûn.

The feminine of وَاحِدٌ is وَاحِدَةٌ and of اِثْنَانِ is اِثْنَتَانِ, e.g.

لِي أُخْتٌ وَاحِدَةٌ / لِي أُخْتَانِ اثْنَتَانِ

Exercises

Ex.1: Read and write.
Ex.2: Read and write.
Ex.3: Answer each of the following questions using the number given in brackets.
Ex.4: Write the numbers appearing in figures in the following sentences in words.
Ex.5: Count from 3 to 10 using the following nouns as ma‘dûd.

Vocabulary

إِنْدُونِيسِيَا	Indonesia	كَلِمَاتٌ	pl of كَلِمَةٌ word
غُرَفٌ	pl of غُرْفَةٌ room	مَجَلَّةٌ	magazine, journal
دُرُوسٌ	pl of دَرْسٌ , lesson	حَرْفٌ	letter (of the alphabet),
أَعْمَامٌ	pl of عَمٌّ paternal uncle		pl حُرُوفٌ

LESSON 21

This is a test lesson. There is no new construction in it. There are about five new words. They are:

ذَاكَ	which is the same as ذَلِكَ	اللَّوْنُ	colour, pl أَلْوَانٌ
وَاسِعٌ	spacious	نُحِبُّ	we love
آسِيَا	Asia	نُحِبُّهُ	we love him

Exercises

Ex.1: Answer the following questions.

Ex.2: Say if these statements are right or wrong.

Ex.3: Write the names of the Asian, African and European countries mentioned in this lesson.

LESSON 22

We have learnt several groups of nouns and adjectives which do not have tanwîn. Most nouns and adjectives have tanwîn. Tanwîn is omitted in the following cases:

a) When the noun or the adjective has اَلْ e.g. كِتَابٌ : الكِتَابُ

b) When it is mudâf, e.g. كِتَابٌ : كِتَابُ بِلَالٍ

c) When it is preceded by يَا e.g. أُسْتَاذٌ : يَا أُسْتَاذُ

But there are certain nouns and adjectives which never have tanwîn. They are called *diptotes* (in Arabic الْمَمْنُوعُ مِنَ الصَّرْفِ).

We have learnt in this book the following groups of nouns and adjectives which are diptotes:

1. Feminine proper nouns e.g. آمِنَةُ ، زَيْنَبُ

2. Masculine proper nouns ending in "ta marbûtah" (ة) e.g. حَمْزَةُ ، أُسَامَةُ

3. Masculine proper nouns ending in «-ân» e.g. عُثْمَانُ ، رَمَضَانُ

4. Adjectives on the pattern of فَعْلَانُ e.g. كَسْلَانُ ، مَلْآنُ

5. Masculine proper nouns on the pattern of أَفْعَلُ e.g. أَحْمَدُ ، أَنْوَرُ

6. Adjectives on the pattern أَفْعَلُ e.g. أَسْوَدُ ، أَحْمَرُ

7. Non-Arabic proper nouns e.g. وِلْيَمُ ، لَنْدَنُ ، بَاكِسْتَانُ

8. The following patterns of broken plural:

a) أَفْعِلَاءُ, e.g. أَصْدِقَاءُ ، أَغْنِيَاءُ ، أَقْوِيَاءُ

b) فُعَلَاءُ, e.g. فُقَرَاءُ ، زُمَلَاءُ ، وُزَرَاءُ

c) مَفَاعِلُ, e.g. مَسَاجِدُ ، فَنَادِقُ ، مَكَاتِبُ

d) مَفَاعِيلُ, e.g. مَنَادِيلُ ، مَفَاتِيحُ ، فَنَاجِينُ

Note that أَطِبَّاءُ is originally أَطْبِبَاءُ on the pattern of أَفْعِلاَءُ, but because of the assimilation of the two *b*'s, the form has been slightly changed.

✍Exercises

Ex.1: Read and write the following words keeping in mind the rule concerning the diptote. (a diptote has no tanwîn, but has only one dammah, whereas other nouns and adjectives have two dammahs.)

🕮Vocabulary

أَحْمَرُ	red	بَغْدَادُ	Baghdad
أَزْرَقُ	blue	جُدَّةُ	Jeddah
أَخْضَرُ	green	فِنْجَانٌ	tea-cup, pl فَنَاجِيْنُ
أَسْوَدُ	black	دَقِيْقَةٌ	minute, pl دَقَائِقُ
أَصْفَرُ	yellow	مَنَادِيْلُ	pl of مِنْدِيْلٌ kerchief
أَبْيَضُ	white	مَفَاتِيْحُ	pl of مِفْتَاحٌ key
قَالَ	he said	قَالَتْ	she said

LESSON 23

We have learnt before that a noun is in the genitive case when it:

a) is preceded by a preposition, e.g.

الْبَيْتُ : فِي الْبَيْتِ　　　　بِلَالٌ : مِنْ بِلَالٍ

b) is mudâf ilaihi, e.g.

الْمُدَرِّسُ : كِتَابُ الْمُدَرِّسِ　　　　بِلَالٌ : بِنْتُ بِلَالٍ

Please note that a diptote in these two situations takes a fatha instead of a kasrah, i.e. the genitive ending in ordinary nouns is «-i», but in diptotes it is «-a», e.g.

بِلَالٌ :	مِنْ بِلَالٍ	كِتَابُ بِلَالٍ
أَحْمَدُ :	مِنْ أَحْمَدَ	كِتَابُ أَحْمَدَ
إِبْرَاهِيْمُ :	مِنْ إِبْرَاهِيْمَ	كِتَابُ إِبْرَاهِيْمَ

Exercises

Ex.1: Learn the following.

Ex.2: Read and write the following keeping in mind the rule about the diptote.

Ex.3: Read and write the following with the correct ending.

Ex.4: Count from 3 to 10 with the following nouns as ma'dûd.

Note that these nouns are diptotes. So they will have fatha instead of kasrah, e.g. the plural of مَسْجِدٌ is مَسَاجِدُ

ثَلَاثَةُ مَسَاجِدَ	three mosques
أَرْبَعَةُ فَنَادِقَ	four hotels

Vocabulary

الطَّائِفُ Taif City

إِصْطَنْبُوْلُ Istanbul

وَاشِنْطُنُ Washington

فهرس